Blas ar Fywyd

Cyhoeddwyd yn 2012 gan Wasg Gomer,
Llandysul, Ceredigion SA44 4JL
www.gomer.co.uk

ISBN 978 1 84851 439 3

Dylunydd: Rebecca Davies, mopublications
Darluniau: Chris Iliff

Dymuna'r cyhoeddwyr gydnabod cymorth Cyngor Llyfrau Cymru.

Argraffwyd a rhwymwyd yng Nghymru gan Wasg Gomer, Llandysul, Ceredigion.

Blas ar Fywyd

ENA THOMAS

gyda
Catrin Beard

Gomer

Cynnwys

Teulu a Chynefin

I'r sawl sy'n mynd yna, dyw pentre bach Felindre, rhwng Pontarddulais a Chraig-cefn-parc ger Abertawe, ddim yn llawer mwy na chlwstwr o dai, capel ac ysgol, ychydig filltiroedd i'r gogledd o draffordd brysur yr M4. Efallai mai pentre bach tawel yw e heddiw, ond nid fel 'ny oedd pethe flynydde'n ôl. Mae 'ngwreiddiau i'n ddwfn ym mhridd y lle, achos fan 'na ces i 'ngeni, mewn tŷ o'r enw Brynafon. Bryd hynny, roedd y pentre'n ferw o weithgarwch, gyda chyngherddau, eisteddfodau a phartïon yn cael eu cynnal yn rheolaidd yn Neuadd y Pentre. Ac fel oedd yn gyffredin cyn dyddiau'r archfarchnadoedd, roedd y lle'n frith o siopau, pob un yn gwerthu pethe gwahanol. Erbyn heddiw, dim ond un siop fach sy 'na, ond rwy'n cofio pethe'n wahanol iawn. Rwy'n cofio siop Gwilym, oedd yn gwerthu ffrwythe a llysie, a Harries y groser, oedd yn fusnes bach llewyrchus yn llawn pob math o bethe. Wedyn roedd y Swyddfa Bost, ac os oeddech chi am brynu cig, siop William Davey, oedd hefyd yn rhedeg y lladd-dy, oedd y lle i fynd.

'Rwy'n cofio mynd drwy dref Gorseinon gydag e unwaith mewn Austin Seven – car bach fel bocs – a Tat-cu'n dreifio, wel, shwt alla i weud . . . fel dyn gwyllt'

BK 6870

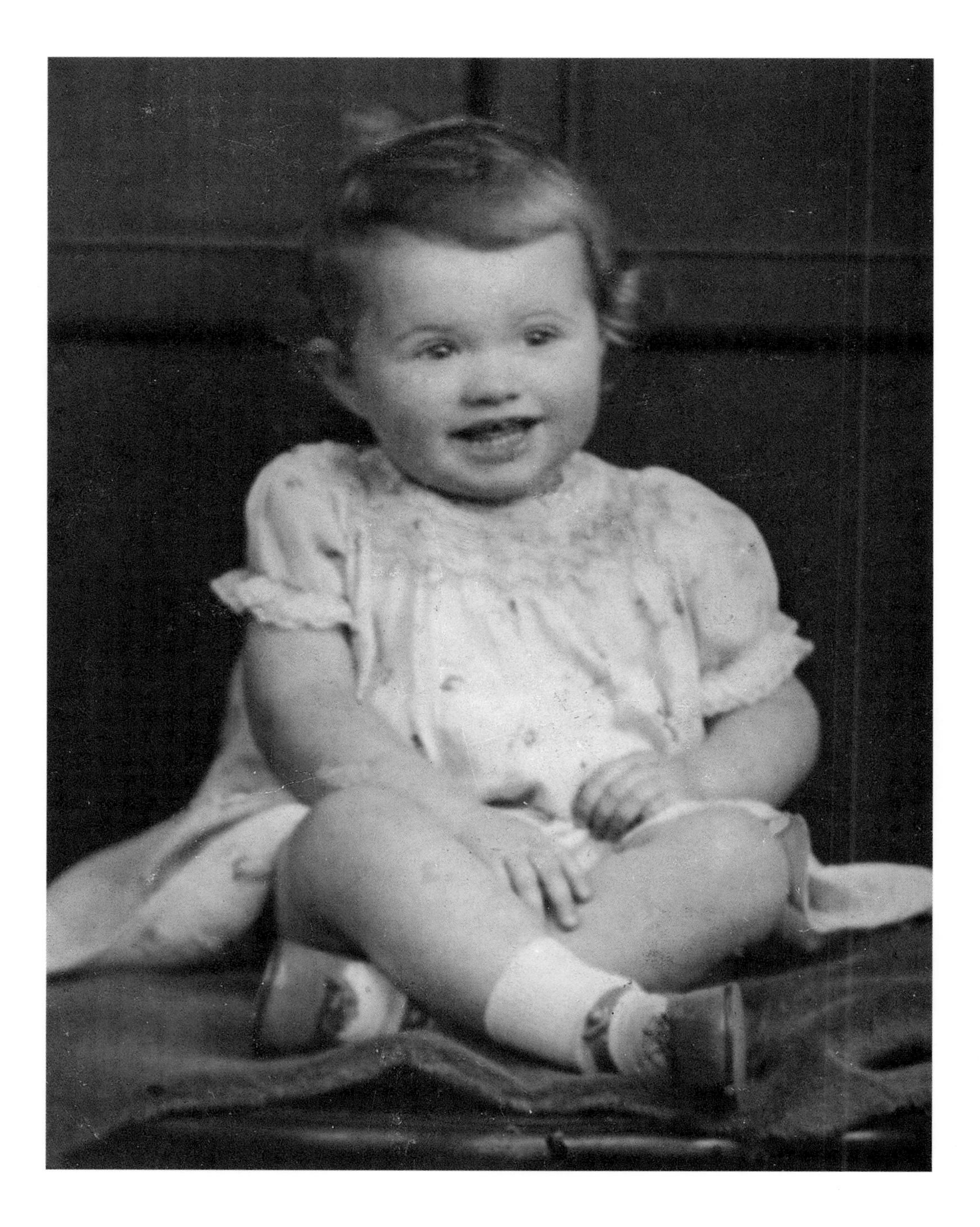

Fi'n fabi

Ond nid siopau yn unig oedd yna. Roedd William Hendry'n cadw'r felin, a theulu 'Nhad, oedd wedi byw yn Felindre ers cenedlaethau, oedd yn yr efail. Fy nhad-cu oedd gof y pentre, fel ei dad a'i dad-cu ynte ac yn ôl am flynydde mawr. Roedd yr efail yn ganolfan bwysig yn yr hen ddyddie, gyda phawb yn galw heibio am sgwrs a'r newyddion diweddaraf. Ac er taw i'r busnes teuluol yr aeth fy nhad-cu, John Griffiths, yn y pen draw, roedd e cyn hynny wedi treulio peth amser yn y coleg yng Nghaerfyrddin yn astudio i fynd yn weinidog. Yn y fan honno, cwrddodd â'r ferch a fyddai'n wraig iddo, Alice. Yn anffodus, bu farw ei dad, fy hen dad-cu, yn sydyn, a bu'n rhaid iddo adael y coleg a dod adre i gymryd gofal o'r efail. Ond wastraffodd e mo'i astudiaethau, oherwydd daeth e'n weinidog rhan-amser, gan bregethu'n rheolaidd mewn nifer o gapeli yn yr ardal. Ond er taw dyna oedd traddodiad y teulu ers cenedlaethau, chafodd 'Nhad ddim mwynhau cwmnïaeth a hwyl yr efail. Pan oedd e'n blentyn bach, daeth newid byd mawr iddo fe a'i frodyr. Aeth fy nhad-cu yn dost 'da TB, ac fel oedd yn ddigwydd yn y cyfnod hwnnw, doedd dim gwella arno fe. Bu farw pan nad oedd ond yn hanner cant oed. Gadawodd hyn ei wraig, Alice, â phump o feibion bach i'w magu. Roedd y cyfan yn ormod iddi, a heb fod yn hir wedyn, aeth hithau'n dost – TB unwaith eto. Flwyddyn cyn cyrraedd ei hanner cant, roedd hithau hefyd yn ei bedd, druan.

A dyna lle'r oedd pump o fechgyn rhwng pedair ac un ar ddeg oed – Dafi, Islwyn (fy nhad), Gwynfor, Willie ac Idris – nawr yn amddifad. Yn ffodus iddyn nhw, roedd chwaer fy nhad-cu, Getta, yn byw yn y pentre, ac aberthodd hi bopeth i ddod i fyw at y bechgyn bach yn Rose Cottage, a'u magu nhw ei hun. Er mwyn cael dau ben llinyn ynghyd, a gofalu am y bechgyn, bydde Getta'n cymryd gwaith gwnïo, a hi hefyd oedd bydwraig y pentre, ac er nad oedd hi wedi cael unrhyw hyfforddiant ar gyfer gwaith o'r fath, roedd galw mawr am ei gwasanaeth. Yn aml iawn, byddai'n cael ei galw'n ddisymwth i un

o'r bythynnod yn yr ardal. Bydde hi'n gollwng popeth ac yn brysio o'r tŷ â'i bag doctor lledr yn ei llaw, a hwnnw bob amser yn cynnwys y feddyginiaeth bwysicaf i'w chleifion – brandi.

Roedd bywyd yn bell o fod yn hawdd i fenyw sengl yn ceisio magu pump o gryts, ac felly bydde Getta, fel llawer o bobl eraill yn y cyfnod, yn chwilio am ffyrdd i ennill tipyn bach o arian ychwanegol. Soniodd rhywun wrthi am y pŵls pêl-droed, ac er nag oedd rhai pobl yn hapus â'r fath bethe, rhoddodd dro ar eu llenwi. Ymhen ychydig, bydde Getta wrthi bob nos Wener yn lolfa fach Rose Cottage gyda'i phensil, yn astudio'r timau a'r sgorau pêl-droed yn ddyfal, ac yn llenwi'r ffurflen yn ofalus. Bydde'r seremoni o lenwi'r ffurflen yr un fath bob wythnos. Yn yr ystafell, roedd bord fach o dan y ffenest, gyda lliain melfed porffor trwm â thaseli drosti, ac ar ganol y ford roedd Beibl mawr y teulu wedi ei osod yn falch. Wrth y ford hon bydde Getta'n eistedd i lenwi'r ffurflen, ac roedd 'na reswm da am hyn.

Rose Cottage, lle magodd Getta'r pum bachgen

Sampler gan Getta o 1886 sydd heddiw yn ein hystafell fyw ni

Er bod llawer o bobl yn llenwi'r pŵls yr un mor gyson â Getta, roedd 'na bobl eraill, yn enwedig diaconied a phwysigion y capel, yn ystyried y fath beth yn bechod. Yn wir, bydde'r gweinidog yn pregethu'n gyson ar y Sul yn erbyn drygioni gamblo. Nawr, nos Wener oedd y noson y bydde'r gweinidog yn mynd o gwmpas y pentre i ymweld â'i braidd ac i sgwrsio â hwn a'r llall. Yn y cyfnod hwn, wrth gwrs, fydde neb yn cloi drws y tŷ, felly wrth fynd ati i lenwi ffurflen y pŵls, bydde Getta'n gwrando'n astud ag un glust. Pan fydde hi'n clywed clicied y drws, fel fflach, bydde'r ffurflen yn diflannu rhwng tudalennau'r Beibl, a hithau'n croesawu'r gweinidog ac yntau'n amau dim.

Tyfodd y pum bachgen yn ddynion ifanc cryf, ar wahân i Gwynfor, a fu farw'n 19 oed, eto o TB. Gwynfor oedd yr unig un o'r pump i gael addysg uwchradd – aeth e i Ysgol Ramadeg Pontardawe. Aeth tri o'r bois i weithio dan ddaear, yr un fath â'r rhan fwyaf o fechgyn ifanc yr ardal. Ond roedd yn gas 'dag Idris, yr ieuengaf, y syniad o fynd i'r pwll, felly gadawodd Felindre i chwilio am waith yn Llundain. Cafodd lojin gyda menyw o'r enw Mrs Hancock yn Ellerby Street. Roedd mab a merch gan Mrs Hancock, ac yn fuan iawn daeth Idris a Beattie, a oedd yn nyrs yn ysbyty'r Royal Marsden, yn dipyn o ffrindiau. Ymhen amser, priododd y ddau yn Llundain a daeth Idris yn rheolwr siop

Getta a fi yn 1942

y Co-operative, a Beattie yn fetron yn y Royal Marsden. Gyda nhw y bues i'n aros flynydde'n ddiweddarach, pan ddilynes i yn ôl traed Idris i Lundain.

Roedd Getta wedi gwneud gwaith rhyfeddol yn magu'r bechgyn ar ei phen ei hun, ac wedi gorffod rhoi ei bywyd ar stop i wneud hynny. Pan oedd hi'n ifanc, roedd ganddi gariad, William Evan o Bontyberem. Ond pan gollodd ei brawd, dywedodd wrth William y bydde'n rhaid dod â'r berthynas i ben er mwyn iddi edrych ar ôl y bechgyn. Alla i ddim dychmygu sut oedd hwnna'n teimlo – mae'n rhaid ei fod e wedi bod yn benderfyniad anodd iddi, ond dyna ni, doedd hi ddim yn meddwl bod dewis 'da hi.

Ond mae diweddglo hapus i'r stori. Erbyn bod Getta'n 60 oed, roedd y bechgyn wedi tyfu, a dim ond Willie oedd yn dal i fyw gyda hi. Un diwrnod, daeth cnoc ar y drws, a phan atebodd Willie, gwelodd ddyn yn ei chwedegau a holodde a oedd Miss Getta Griffiths yn dal i fyw yn y tŷ. Pan ddaeth Getta drwodd o'r cefn, roedd hi'n ei nabod yn syth – William Evan, oedd wedi gadael yr ardal flynydde yn gynt. Roedd y ddau'n ofnadwy o falch o weld ei gilydd ar ôl yr holl amser. Roedd William yn ŵr gweddw ag un mab, ac yn fuan iawn ar ôl ailgyfarfod, dechreuodd e a Getta garu unwaith eto. Roedd y bechgyn i gyd wrth eu bodd o weld Getta mor hapus, ac ar ben eu digon pan briododd Getta a William o fewn chwe mis yng Nghapel Nebo, Felindre.

Getta yn ei gardd

Gwisgodd Getta ffrog ddu a ffwr sabl a het smart, a William siwt ddu a *top hat*. Ar ôl treulio'u mis mêl yn Llundain gydag Idris a Beattie, daethon nhw'n ôl i fyw yn hapus yn Rose Cottage am flynydde lawer. Bu farw Getta mewn oedran da, ar ôl bywyd caled ond hapus, yn 95 oed.

Deuddeg oed oedd 'Nhad pan aeth i weithio dan ddaear gynta, ym mhwll Graigola Merthyr ym Mhontarddulais. Roedd e, fel cynifer o fechgyn yr un oed ag e, yn falch o gael mynd 'da'r dynion i wneud tyrn o waith, ac yn falch iawn hefyd, wrth gwrs, ei fod e'n gallu cyfrannu at gadw'r teulu. Ond bywyd caled oedd e. Yn y pwll buodd 'Nhad am ei oes wedyn. Sai'n credu y bydde neb yn fodlon diodde shwt jobyn heddiw – roedd e'n gweithio mewn sêm o lo caled, a fydde'n aml yn llai na phedair troedfedd o uchder. Roedd hyn yn golygu bod ar ei liniau'n torri'r glo am shifft gyfan, ac roedd hynny yn amlwg yn boenus ofnadwy. Bydde fe'n gorffod aros bob nawr ac yn y man i gymryd asbrin o'r blwch bach o'dd gydag e bob amser. Misoedd y gaeaf oedd waethaf. Yn ogystal â bod yn oer ofnadwy, roedd gweithio yn nhywyllwch du'r pwll drwy'r dydd, ar ôl mynd i lawr cyn iddi wawrio a dod 'nôl lan ar ôl iddi nosi, yn golygu na fydde 'Nhad yn gweld golau dydd am ddyddiau ar y tro.

Nid y diffyg golau naturiol oedd unig anfantais y gwaith. Roedd yn beryglus dros ben, ac roedd 'Nhad yn daer dros sicrhau bod y dynion yn gall ac yn osgoi gwneud pethe dwl. Unwaith, daliodd e fachan ifanc oedd wedi mynd â matsis lawr i'r pwll i gael mwgyn slei, yn gwbl groes i'r rheolau wrth gwrs. Yn ôl yr hanes, cydiodd 'Nhad yn y crwt, ei dwlu mewn i un o'r trams glo a gwthio hwnnw ffwl pelt mas o'r gloddfa ddrifft, am iddo beryglu diogelwch a bywydau ei gydweithwyr trwy wneud shwt beth hurt. Doedd 'Nhad ddim yn godde ymddygiad fel 'na 'da neb.

Ond er ei fod yn jobyn mor arw, fydde 'Nhad ddim wedi ei newid am y byd. Dros y blynydde, roedd y gymdeithas glòs a'r gyfeillgarwch dan ddaear yn werthfawr iawn iddo, ac roedd gofal y dynion am ei gilydd yn gwneud y gwaith anodd yn haws, rhywffordd. Swydd greulon oedd swydd y glöwr. Siwrne bydden ni'n clywed y seiren, bydde pawb yn gwybod bod damwain wedi digwydd, ond hyd yn oed i'r rhai lwcus na chafodd unrhyw anaf dan ddaear, y pwll fydde'n eu lladd yn y diwedd. A thalodd 'Nhad y pris uchel hwn hefyd, a marw cyn ei amser yn 63 oed, o felltith y glöwr, silicosis.

Ar ôl rhai blynydde'n gweithio ar y ffas, cafodd 'Nhad ei benodi'n oruchwyliwr. Roedd hon yn gamp fawr, yn enwedig o gofio taw 12 oed oedd e'n gadael yr ysgol, heb gael llawer o addysg. Roedd swydd y goruchwyliwr yn un gyfrifol iawn, a bydde'n rhaid iddo fe archwilio'r peiriannau i sicrhau diogelwch y glowyr. I gael y swydd, roedd rhaid sefyll arholiad Mathemateg yng Ngholeg Castell-nedd. Roedd hyn yn brofiad hollol newydd iddo, ond roedd e'n ddyn penderfynol, a chyda help fy mrawd Tegfan, fe weithiodd yn galed dros ben, a llwyddo i basio'r arholiad gyda marciau uchel.

Roedd 'Nhad yn ddyn call iawn, a phobl yn ei barchu. Pleidleisiodd aelodau Nebo dair gwaith iddo fod yn ddiacon yn y capel. Roedd hyn yn anrhydedd mawr, ac yn swydd i'w chymryd o ddifrif. Ond doedd 'Nhad ddim am dderbyn y cyfrifoldeb. Y rheswm am hynny oedd ei fod yn mwynhau ambell i beint gyda'i ffrindie yn y Ship. Doedd e ddim yn bwriadu, medde fe, bod yn un o'r bobl yna oedd yn gorffod defnyddio drws cefn y dafarn er mwyn osgoi cael ei weld yn mynd mewn a mas. Roedd e am ddal ei ben yn uchel.

Am ei fod e dan ddaear shwd gymaint, heb weld yr haul o un wythnos i'r nesaf, dileit mawr 'Nhad oedd bod mas yn yr awyr agored, a doedd dim yn rhoi mwy o bleser iddo na garddio. Ar ôl dod adre ddiwedd y shifft, bydde fe'n cael bath mewn twba sinc o flaen y tân, yn gorffwys am ychydig ac wedyn mas â fe i'r awyr iach a rhyddid. Doedd dim croeso i chwyn yn 'i ardd e – roedd hi bob amser yn berffaith. A phob blwyddyn, bydde fe'n tyfu digon o lysiau i fwydo'r teulu cyfan, gan helpu gyda'r bil bwyd, wrth gwrs. Roedd cymaint i'w weld yna – bresych, pys, ffa, ffa Ffrengig, letys, moron, pannas, brocoli, persli a pherlysiau, a rhes ar ôl rhes o dato. Ar ben hynny wedyn bydde'i dŷ gwydr yn llawn tomatos a chiwcymbyrs. Rwy'n cofio gofyn iddo unwaith pam na allen ni gael lle i chwarae yn yr ardd – patshyn o wair o flaen y tŷ, fel oedd 'da phobl eraill. Roedd ateb parod 'dag e: 'Alli di byth â bwyta gwair, 'merch i.' Wel, doedd dim dadlau 'da hynna, felly tato oedd wastad o flaen tŷ ni.

Roedd brawd 'Nhad, Wncwl Willie, hefyd yn arddwr o fri. Roedd e'n byw yn Rose Cottage, lle cafodd e a'i frodyr eu magu, ac roedd ffrwd fach yn rhedeg trwy waelod yr ardd. Cyn bod system garthffosiaeth yn cael ei gosod yn y pentre, gwelodd Willie y galle'r nant fach yma fod yn ddefnyddiol, wrth iddi lifo i lawr o'r bryniau uwchlaw. Felly, adeiladodd dŷ bach o garreg dros y nant mewn rhan fach gudd o'r ardd, gyda tho llechi a sgwariau o bapur newydd yn hongian ar fachyn ar gefn y drws. Roedd e wastad yn dweud bod hwn yn lle tawel a heddychlon i ddod i wrando ar y dŵr a myfyrio ar fywyd.

Yn wahanol i 'Nhad, roedd gan Wncwl Willie fôr o liwiau yn ei ardd, ac roedd ei *chrysanthemums* yn enwog yn yr ardal, ac yn ennill pob math o wobrau'n gyson gyda'u pennau enfawr llachar. Roedd un rhan o'r ardd wedi'i neilltuo'n arbennig ar gyfer y blodau hyn, a bydde fe'n rhoi bagiau papur drostyn nhw wrth i'r sioeau agosáu i'w cadw'n ddiogel. Roedd y gwaith yn talu ffordd, a doedd dim pall ar y tlysau fyddai'n cyrraedd yr hen ddreser yn y tŷ bob blwyddyn. Roedd e hefyd yn llwyddiannus gydag asaleas, ac ar ddiwedd diwrnod hir yn yr ardd, bydde fe'n eistedd yn ôl mewn hen gadair freichiau oedd e wedi'i gosod yn ei sièd, ac edrych mas drwy'r drws gan edmygu'r blodau prydferth a'r ardd fendigedig i gyfeiliant ei hen set radio.

Doedd neb yn gallu dyfalu beth oedd cyfrinach llwyddiant Wncwl Willie gyda'r blode hyn i gyd, ac yn wir fe aeth i'w fedd heb ddweud wrth neb. Ond ychydig ar ôl iddo farw, pan ddaeth yn bryd

clirio'r tŷ, gethon ni wybod y cyfan. Sai'n siŵr ddylen i ddatgelu rhywbeth y gweithiodd Wncwl Willie mor galed i'w gadw'n dawel, ond wi'n eitha sicr y bydde fe'n chwerthin ac yn towlu winc chwareus ata i. Ta beth, sylwon ni fod peipen ddŵr rwber wedi'i glynu â thâp wrth gefn y beipen a gariai'r glaw i lawr o'r cwteri. Roedd y beipen hefyd wedi'i pheintio'r un lliw â'r beipen fawr, felly doedd hi ddim yn hawdd ei gweld. Dilynon ni'r beipen, a chael ei bod yn cyrraedd y gwely *chrysanthemums* yn yr ardd. Roedd y pen arall yn mynd lan at un o ffenestri uchaf y tŷ, trwy ffrâm y ffenest ac i mewn i ystafell wely Wncwl Willie. Yn y fan honno, roedd hi'n dod i ben ar bwys y gwely, gyda thwndish o'r gegin wedi'i stwffio i mewn iddi. A dyna ni'n gweld 'i gyfrinach e – pan fydde natur yn galw ar Wncwl Willie yn y nos, bydde fe'n ei hateb ac yn sicrhau bod y planhigion yn derbyn cyflenwad da o ddŵr llawn nitrogen!

Roedd Wncwl Willie'n rhan fawr o 'mhlentyndod, ac o'n i'n dwlu bod yn 'i gwmni fe. Roedd e hefyd yn ddyn amlwg iawn yn yr ardal. Cafodd ei ddewis yn gynrychiolydd Ffederasiwn Glowyr De Cymru, a

Wncwl Willie gyda rhai o'i flodau enwog

ddaeth yn rhan o'r NUM yn ddiweddarach. Gweithiodd yn galed iawn i wella amodau gwaith y dynion, a chafodd gryn lwyddiant hefyd; diolch iddo fe a'i waith caled, cafodd baddonau eu gosod ar dop y pwll. Am y tro cyntaf, felly, gallai'r glowyr adael budreddi a llwch y gwaith ar eu hôl cyn mynd adre ar ddiwedd shifft. Roedd Wncwl Willie'n gallu areithio'n dda hefyd, a chafodd ei ddewis i gynrychioli'r NUM mewn cynadleddau yn Rwsia, Gwlad Pwyl a'r Almaen yn 1938, toc cyn yr Ail Ryfel Byd. Ar ôl y rhyfel, gofynnwyd iddo sefyll fel ymgeisydd seneddol Llafur yn yr ardal, ond roedd yn well ganddo aros gartre a pharhau i frwydro'n uniongyrchol dros y dynion.

Pan oedd Wncwl Willie'n 90 oed, cafwyd dathliadau yn Neuadd Felindre, gyda llawer o'i hen gydweithwyr yn talu teyrnged iddo am ei waith dros y glowyr ac fel cynghorydd lleol. Yn ei araith, soniodd am gyfnod ei blentyndod, pan fyddai'n gorffod cerdded yn ddyddiol yr holl ffordd i'r pwmp dŵr lleol i lenwi powlenni i gael dŵr i'r teulu. Dywedodd taw dyna oedd y sbardun iddo frwydro'n galed yn ddiweddarach i gael dŵr mewn pibelli i dai'r pentre, a thap ym mhob tŷ, ac yna i sicrhau system garthffosiaeth i'r cartrefi. Ond cofiwch, ddwedodd e ddim gair am ei system garthffosiaeth fach bersonol e i'r blode!

Ym Mhontarddulais y cafodd Mam ei magu, yn un o bedwar o blant; tair merch – Eirwen, Olive a Thora – ac un bachgen, Wynford. O'n i'n dwlu ar Wncwl Wynford. Un o'r atgofion cynharaf sydd gen i yw pan o'n i'n dair oed, gweld Wncwl Wynford yn dod yn ôl o'r Armi yn ei iwnifform adeg rhyfel, a theimlo cyffro mawr o'i weld.

Roedd tad fy Mam – Tat-cu – yn dipyn o gymeriad. Dan Mathias

Pasbort Wncwl Willie

oedd ei enw, ond fel Dan y Can roedd pawb yn 'i nabod. Fe fuodd yn rhedeg y bws cyntaf erioed rhwng Felindre a Phontlliw, a'r rheswm am yr enw oedd ei fod yn cario can – blawd – o'r felin yn Felindre i lawr y cwm yn y bws glas. Roedd e'n nabod y ffyrdd bach gwledig yn well na neb, ac roedd ganddo dipyn o feddwl ohono fe'i hunan wrth ddreifio o gwmpas. Rwy'n cofio mynd drwy dref Gorseinon gydag e unwaith mewn Austin Seven – car bach fel bocs – a Tat-cu'n dreifio, wel, shwt alla i weud . . . fel dyn gwyllt. Ond doedd neb yn cael dweud dim wrtho fe, ac yn bendant doedd neb yn mynd i gael y gorau arno fe. Roedd car arall yn dod y tu ôl i ni, ond nag oedd Tat-cu am ildio modfedd. 'Diawl erio'd,' medde fe, 'so hwnna'n mynd i baso fi!' A bant â ni fel cath i gythrel yn y bocs bach metel.

Roedd e'n ddyn llawn hwyl a jôcs, wrth ei fodd yn tynnu coes. Ond plentyndod anarferol gafodd e, a dweud y lleiaf. Adeg ei eni, roedd y teulu'n byw yn Fferm Llynnon Fawr yn Felindre. Un noson stormus, roedd ei fam, fy hen fam-gu, yn ei fagu o flaen y tân, a'r ddau'n methu cysgu am fod sŵn y storm yn blino'r babi bach. Wrth iddi ei gysuro a cheisio'i gael e i gysgu'n ôl, daeth taranfollt i lawr y simne, a'i tharo hi a'r babi i'r llawr. Lladdwyd fy hen fam-gu ar unwaith, ond doedd dim marc ar y babi. Roedd tri o blant eraill yn y teulu, a chan taw dim ond babi bach oedd Dan, cymerodd chwaer ei fam e i'w fagu, a'i drin fel ei mab ei hun. Ymhen amser, penderfynodd hi newid ei gyfenw o Griffiths – enw'i dad – i Mathias, ei henw hi. Roedd hyn yn beth eitha cyffredin ar y pryd, ond fe arweiniodd at annhegwch ofnadwy. Pan fu farw ei dad go iawn, cafodd Dan ei dorri mas o'r ewyllys am ei fod yn Mathias yn hytrach nag yn Griffiths. Ond yn ddiweddarach, cafodd ei adael mas o ewyllys y teulu Mathias hefyd, am eu bod nhw'n gallu profi bod ei dystysgrif eni wreiddiol yn dangos taw Griffiths oedd e. Rwy'n reit siŵr y bydde rhywbeth fel hyn wedi gwneud llawer iawn o bobl yn ddigon chwerw a blin, ond nid dyn fel 'na oedd Tat-cu, ac fe dderbyniodd y sefyllfa heb gwyno.

Ymhen amser, priododd e May, a fy mam i, Eirwen, oedd eu plentyn cyntaf. Roedd Mam-gu fel ledi – wrth ei bodd 'da ffys. Fel y bydden ni'n 'i weud, roedd *pride* ynddi hi. Roedd yn fenyw bert ac yn gorffod cael popeth yn iawn. Roedd hi wrth ei bodd â steil, ac yn gweithio'i dillad ei hun, heb sôn am yr holl goginio gwych y bydde hi'n ei wneud. Mae lot yn dweud 'mod i'n tynnu ar ôl Mam-gu. Un o'r pethe wi'n cofio Mam-gu'n ei goginio – ac roedd Mam hefyd yn 'i gwneud – oedd teisen burum, sef teisen ffrwythau ychydig fel bara brith, ond yn fwy cyfoethog. Ac yn rhyfedd ddigon, rai blynydde yn ôl, rhoiodd cyfnither Mam y rysáit i fi, wedi'i hysgrifennu ar bapur gan Mam-gu. Ond doedd dim cyfarwyddiadau ynddi o gwbl, dim ond y cynhwysion. Dyna fel bydde Mam-gu'n ysgrifennu ryseitie. Mae hon yn deisen hyfryd, ac yn rhan bwysig iawn o 'mhlentyndod i.

❧

Dan a May Mathias – Mam-gu a Tat-cu ochr fy mam

Teisen furum Mam-gu

Rysáit fy mam-gu yw hon. Flynyddoedd yn ôl, roedd teisen furum yn boblogaidd iawn, ac roedd hi'n pobi pedair torth ar y tro – do'n nhw byth yn para'n hir.

Cynhwysion

450g / 1 pwys o flawd codi
250g / 8 owns o fenyn
250g / 8 owns o gyrens
250g / 8 owns o syltanas
250g/ 8 owns o resins
4 wy wedi eu curo
250g / 8 owns o siwgr Demerara
1 llwy fwrdd o sbeis cymysg
1 owns o furum ffres
1 llwy de o siwgr caster
150ml / ¼ peint o laeth cynnes

Dull

- Hidlwch y blawd i mewn i ddysgl gymysgu fawr. Torrwch y menyn yn dalpiau mân gyda blaenau'ch bysedd a'i rwbio i mewn i'r blawd nes ei fod yn edrych fel briwsion bara mân.
- Cymysgwch y sbeis a'r ffrwythau sych i gyd i mewn.
- Trowch y siwgr caster i mewn i'r burum. Bydd yn troi'n hylif.
- Gwnewch bant yn y gymysgedd, arllwyswch yr wyau, y llaeth a'r burum i mewn iddo. Trowch yn dda gyda llwy bren neu lwy fetel.
- Leiniwch ddau dun torth 700g-900g / 1½-2 bwys gyda phapur pobi neu leinwyr teisen parod. Rhannwch y gymysgedd rhwng y ddau dun a llyfnhau'r arwyneb.
- Coginiwch mewn ffwrn wedi ei chynhesu ar 150C / 300F / Nwy 2 am 1w¼ awr nes eu bod yn frown euraid ac yn gadarn i'w cyffwrdd. Rhowch gyllell siarp i mewn i'r deisen. Os yw hi'n dod mas yn lân, mae'r deisen yn barod.
- Pan fydd y teisennau'n barod, gadewch iddyn nhw oeri ar rac wifren. Mae'r deisen hon yn cadw'n dda ac yn rhewi'n dda.

Plentyndod

Ym mhentre Felindre y ces i fy magu. Fi oedd yr hynaf o bedwar o blant – Tegfan oedd y nesa, wedyn John a Nancy'r ieuengaf, sydd ddeng mlynedd yn iau na fi. Priododd Mam a 'Nhad yn ifanc iawn – dim ond deunaw oed oedd Mam pan gafodd hi fi – ac rwy'n credu ei bod hi wastad wedi teimlo iddi golli cyfle i wneud rhywbeth 'da'i bywyd. Roedd hi wedi gobeithio bod yn nyrs, ond bryd hynny, ar ôl priodi a chael plant, doedd dim gyrfa arall i fod. Bydde hi, fel pob mam arall yn y pentre, gartre'n cwcan, golchi a smwddio tra bod y dynion yn y gwaith glo. Dyna fel oedd hi. Dwy bunt a chweugain yr wythnos oedd cyflog 'Nhad pan briodon nhw, felly doedd pethe ddim yn hawdd, a'r wraig fel arfer oedd yn gorffod gwneud i'r arian fynd yn bellach.

Gan nag oedd gweinidog yn y pentre ar y pryd, roedd y Mans yn cael ei rentu mas, ac er nad pregethwr oedd 'Nhad, dyna lle ro'n ni'n byw. Roedd e'n dŷ mawr braf, ac mae atgofion hapus iawn gen i o'r lle, ac o'r pentre yn y cyfnod hwnnw. Roedd Mam,

'Bob wythnos bron, bydden i'n dod â bwyd adre i fwydo'r teulu hefyd – *Victoria sponge* neu gaserol falle . . . '

fel ei mam hi, yn fenyw browd iawn. Roedd rhaid i bopeth fod yn berffaith yn y tŷ. A glendid – peidiwch â sôn. Roedd hi wrthi drwy'r amser yn polisio ac yn glanhau. Ac roedd hi'n gwc arbennig a'i bwyd bob amser yn ffeind ac yn iachus: pethe fel cawl a ham 'di berwi a saws persli, neu gig moch a winwns a thato wedi'u gwneud yn y Rayburn, *corned beef*, ac wedyn cig oen William Davey wedi'i rostio ar ddydd Sul. Bydden ni hefyd yn cael pysgod wedi'u dala gan Wncwl Willie, ac yn aml iawn cwningen neu ddwy y bydde 'Nhad wedi llwyddo i'w saethu.

Ond y peth roedd Mam yn ei wneud orau oedd bara. Byddai'n crasu ddwywaith yr wythnos, ar ddydd Mawrth a dydd Gwener. Wrth gwrs, byddai'n cael y blawd gwenith gan ei thad, Dan y Can. Roedd hwn yn waith caled, ac yn bownd o fod yn ei blino. Un o fy atgofion cynharaf yw gweld Mam lan at 'i phenelinoedd mewn blawd, yn pwno'r toes ar ford y gegin, a gwynt hyfryd y bara'n pobi yn y ffwrn. Rwy'n cofio gofyn iddi unwaith pam na fydde hi'n prynu bara ambell waith. Edrychodd hi'n reit siarp arna i ac ateb heb oedi: 'Achos dyw dwylo dyn y bara ddim yn ddigon da.'

Byddai menywod y pentre'n cystadlu yn erbyn ei gilydd 'da'u ryseitie. Ond cofiwch, doedd dim llyfrau ganddyn nhw fel sydd gen i heddiw – mae llyfrgell gyfan o gyfrolau 'da fi yn y tŷ 'ma. Na, cofio popeth fydden nhw bryd

Fy rhieni, Islwyn ac Eirwen, ar ddiwrnod eu priodas yn 1934

Mam a fi

hynny, a bydde'r rysáit wedyn yn cael 'i nabod gan enw'r fenyw a'i dyfeisiodd hi. Rwy'n cofio hyd heddiw *boiled cake* Gladys y Felin a ryseitie Anti Morwen Tŷ Cornel.

Roedd pantri Mam yn werth ei weld, bob amser yn llawn o gynnyrch ei dwylo. Roedd lle amlwg i'r gwin cartref y bydde'n ei fragu yn yr ystafell fach. Bydde hi'n gwneud pob math o winoedd – blodau ysgaw, rhiwbob, dant y llew, mwyar – yn dibynnu ar y blodau a'r llysie fydde ar gael. Doedd hi ddim yn anarferol i ni gael ein dihuno gan sŵn 'pop' yn ffrwydro drwy'r tŷ wrth i gorcyn chwythu mas o un o'r poteli niferus oedd yn cael eu storio yn y pantri. Sbel cyn i fi briodi Geoff, a ninnau newydd ddechrau caru, daeth e i'r tŷ i gwrdd â fy rhieni am y tro cyntaf. Mae'n rhaid ei fod wedi gwneud argraff dda ar Mam, achos cafodd e gynnig gwydred bach o'r *vintage* gorau. Yn amlwg, am ei fod yn awyddus i'w phlesio, fe yfodd e'r cyfan a'i ganmol i'r cymylau. Ond cyfaddefodd wrtha i'n ddiweddarach fod yffach o gic i'r gwin, a bod ei ben yn troi ar ôl hanner llond cwpan wy. Nid rhywbeth i'w yfed yn unig oedd y gwin, cofiwch. Bydde Mam yn ei roi yn ei bwyd wrth goginio hefyd, yn enwedig yn y grefi.

Roedd Mam yn cadw'r cartref fel pìn mewn papur, ac yn gosod ei stamp arno. Un o'i hoff orchwylion oedd peintio'r tŷ, ac roedd hi'n arbennig o hoff o ddefnyddio mwy nag un lliw i gael effaith *mottled*, drwy roi un lliw fel sylfaen, ac un neu ddau liw arall drosto. Ei ffefryn oedd defnyddio sylfaen gwyrdd gyda du ac ychydig o baent aur. Roedd dipyn o steil yn perthyn iddi; roedd hi wedi cael addysg mewn ysgol breifat ym Mhontarddulais, oedd yn fagwraeth gwbl wahanol i 'Nhad, wrth gwrs. Rwy'n credu y bydde Mam wedi bod wrth ei bodd i fod yn berchen ar ei thŷ ei hun. Dyna oedd ei huchelgais, ond doedd 'Nhad ddim yn fodlon mentro – roedd e'n ddyn nad oedd am gael benthyg arian wrth neb. Roedd e'n arfer dweud, os nag ydych chi'n gallu fforddio prynu rhywbeth, ewch hebddo.

Felly pan ddaeth gweinidog i'r pentre ymhen amser, roedd angen y Mans, a bu'n rhaid i ni symud. Pan o'n i'n saith oed, symudon ni fel teulu o Felindre am y tro cyntaf, i bentre Salem. Falle nag oedd Salem yn bell, ond roedd fel mynd i wlad arall, ac roedd pob un ohonon ni'n hiraethus dros ben. Wedi dweud hynny, roedd y cartref newydd yn hyfryd. Salem Cottage oedd enw'r tŷ, ger sgwâr y pentre, ac roedd gardd fawr yno gyda choed afalau, plwms a gellyg. Roedd ffowls 'da ni hefyd, ac wyau ffres ar y bwrdd bwyd yn rheolaidd.

Ym mhen draw'r ardd roedd 'na gornel fach lle nad oedd dim yn tyfu. Ar ôl ychydig, penderfynodd 'Nhad nag oedd e am wastraffu'r lle, felly adeiladodd e dwlc a phrynu mochyn du a gwyn. Galwon ni fe'n Twm. O'n i'n dwlu ar Twm. Elen i lawr i waelod yr ardd yn rheolaidd i eistedd ar y wal a siarad ag e. Tase Mam yn rhoi stŵr i fi am rywbeth, bydden i'n mynd ac adrodd fy nghwyn wrth Twm. Felly gallwch chi ddychmygu siwd o'n i'n teimlo pan ddaeth hi'n amser lladd y mochyn. Yn ystod y rhyfel oedd hyn, ac roedd rhaid i chi gael *permit* bryd hynny i ladd unrhyw anifail. William Davey, y bwtsiwr o Felindre, ddaeth i wneud y gwaith, ond ddim cyn 'mod i wedi bod yn protestio a llefen y glaw. Rwy'n cofio gweiddi ar 'Nhad: 'Beth 'se rhywun yn eich lladd chi? Siwd byddech chi'n teimlo?' Ond doedd neb yn mynd i wrando ar ferch fach, a bu'n rhaid i Twm druan wynebu'r gyllell. Alla i glywed y creadur yn sgrechen yn fy mhen hyd heddi, druan. Ond unwaith i William Davey ei dorri'n ddarne, buodd Twm yn garedig iawn wrth y teulu, yn ein bwydo ni am amser go hir – gwnaeth Mam ffagots, brôn, a hyd yn oed coginio'r traed mewn caserol. Doedd dim yn mynd yn wast adeg rhyfel, er, cofiwch, fe gymerodd sbel i fi fodloni bwyta'r bacwn.

Y darnau mwyaf o'r mochyn oedd yr ham a'r *joints*, a chafodd y rhain eu hongian i'w halltu yn y *conservatory* bach oedd 'da ni. Bydde cig fel hyn yn cadw am flynydde wedi'i halltu. Unwaith eto felly, yn Salem, roedden ni'n bwyta'n iach – wyau gan yr ieir a chig o’r mochyn, a bydde dyn y pysgod yn dod heibio bob dydd Gwener – *hake* oedd fy ffefryn i. Doedd dim pwynt bod yn sentimental am yr anifeiliaid – pethe i’w cadw i ddarparu bwyd oedden nhw, a dim mwy. Falle bod yr ieir yn gweithio’n galed yn rhoi wyau, ond os bydde un yn dechre pallu, a’r wyau’n mynd yn brin, doedd dim cwestiwn – tro yn y gwddw a dyna ginio Sul blasus.

Roedd yr ardd a’r ardal o gwmpas Salem yn hyfryd, yn wledig iawn, ac o’n i wrth fy modd yn dringo’r colfenni ac yn rhedeg o gwmpas y lle. Bydde ’Nhad yn dweud bob amser ’mod i’n ‘rial *tomboy*’.

Cyn symud i Salem, o’n i wedi dechre yn Ysgol Felindre, ac yn hapus iawn ’na, gyda Mr Morgan y prifathro a Doris Lodwick yr athrawes. Ond nawr, roedd rhaid i fi fynd i ysgol Craig-cefn-parc, oedd yn agosach, a bws yn mynd yno o Salem. Do’n i ddim yn rhy hapus am hyn, ond mynd ar y bws fu’n rhaid. Bryd hynny, am na fydde cinio’n cael ei drefnu yn yr ysgol, bydde pawb yn mynd â bocs bach tun a brechdan a darn o ffrwyth ynddo fe i’w cael am hanner dydd.

Ar ôl ychydig, aeth pethe o chwith. Dechreuodd dwy ferch – wnaf i ddim eu henwi nhw, achos maen nhw’n dal i fyw yn yr ardal – wneud hwyl am fy mhen i, ac aros amdana i tu fas i’r ysgol. Pan fydden i’n dod mas, ac yn cerdded lawr y grisiau at yr hewl, bydden nhw’n fy mwrw ar fy mhen ’da’u bocsys bwyd. Sai’n gwybod pam oedd hyn yn digwydd – cael hwyl gyda’r ferch newydd, siŵr o fod. Ta beth, o’n i’n anhapus iawn yn yr ysgol oherwydd hyn, ac fe benderfynais wneud rhywbeth amdano fe. Felly, fe wedes i wrth Mam nag o’n i am fynd i Ysgol Graig, a doedd dim byd y galle hi ei wneud i ’mherswadio i newid fy meddwl. O’n i’n benderfynol o fynd ’nôl i Ysgol Felindre, a’r unig ffordd y gallwn wneud hynny oedd cerdded yno bob dydd: dwy filltir yn y bore, a dwy filltir adre gyda’r nos. Bydden i’n mynd lawr yr hewl o’r tŷ ac wedyn yn croesi tir comin y Gweunydd lawr at y pentre.

Ffagots Ena

Digon i 4

Roedd fy mam yn arfer gwneud ffagots blasus bob wythnos, ond byddai hi'n defnyddio pob rhan o du mewn y mochyn (*pig's fry* oedd y term am y perfedd, yr afu, y stumog ac ati). Dim ond afu dwi'n ei ddefnyddio yn y rysáit hon. Yn fy marn i, does dim byd gwell na ffagots a phys slwtsh i ginio. Maen nhw'n flasus yn oer hefyd. Gallwch ddefnyddio'r un cynhwysion i wneud rysáit dwi'n ei alw'n '*pâté* Cymreig'.

Cynhwysion

350g / 12 owns o afu / iau mochyn
250g / 8 owns o friwsion bara
250g / 8 owns o afalau coginio
2 winwnsyn
250g / 8 owns o gig moch brith (*streaky*)
2 lwy de o berlysiau cymysg
halen a phupur

Dull

- Minsiwch yr afu, y cig moch, y winwns a'r afalau.
- Rhowch y gymysgedd mewn basn mawr ac ychwanegu'r briwsion bara, y perlysiau a halen a phupur yn ôl eich dant.
- Cymysgwch y cyfan at ei gilydd. Yna, gan ddefnyddio sgŵp hufen iâ, mowldiwch y ffagots a'u gosod mewn tun pobi gan eu gwasgu at ei gilydd yn dynn. Arllwyswch ychydig o ddŵr drostyn nhw.
- Pobwch nhw ar 190C / 375F / Nwy 5 am 30-40 munud.
- Defnyddiwch yr hylif i wneud grefi a gweinwch y ffagots a'r grefi gyda thatws stwnsh a phys slwtsh.
- I wneud *pâté* gyda'r gymysgedd, dilynwch gamau 1 a 2. Yna gwasgwch y gymysgedd i dun dorth a'i bobi mewn tun pobi â dŵr ynddo (*bain-marie*) ar y gwres uchod am tua hanner awr. Gallwch hefyd leinio'r tun gyda chig moch cyn rhoi'r gymysgedd ynddo, gan osod pennau'r sleisiau dros wyneb y *pâté*.

Wrth gwrs, roedd hyn yn ystod y rhyfel, ac rwy'n cofio'n iawn yr amser y cafodd Abertawe ei bomio. Roedd y lle'n olau i gyd – *incendiary bombs* yn cwympo tu fas i'n tŷ ni – ac wi'n cofio 'Nhad yn dweud wrth Mam: 'Eirwen, dewch nawr, rhaid i ni fynd â'r teulu lawr i Felindre.' Felly, dyna lle'r oedden ni fel teulu bach yn cerdded ar draws y Gweunydd ac yn gweld Abertawe oddi tanon ni yn dân i gyd. Sai'n siŵr pam oedd 'Nhad yn meddwl bod Felindre'n unrhyw faint saffach na Salem, cofiwch, ond mewn helbul, roedd 'Nhad siŵr o fod am fod 'nôl yng nghanol ei deulu.

Felly, er bod Salem yn lle braf, gyda rhyddid ac iechyd cefn gwlad, roedd tynfa fawr gan Felindre i'r teulu i gyd. O'r diwedd, pan o'n i'n bedair ar ddeg, geson ni'r cyfle i symud yn ôl i dŷ cyngor yn y pentre, ac roedd pawb yn falch ofnadw i fod 'nôl 'gartre'.

Erbyn hyn o'n i yn yr ysgol uwchradd – Ysgol Clydach. Allech chi fy ngalw i'n lot o bethe, ond sai'n credu bydde neb yn gweud 'mod i'n sgolor. Er 'mod i'n ddigon hapus i fynd yno bob dydd, doedd gen i fawr o ddiddordeb yn y gwersi, felly pan ddaeth hi'n gyfnod yr 11+, doedd dim lot o obaith i fi. A wir i chi, methu oedd fy hanes i. Ond doedd dim ots 'da fi o gwbl, achos o'dd hynny'n golygu gelen i fynd gyda Mair Francis, fy ffrind o Ysgol Felindre, i Glydach. Rwy'n gweud nag oedd llawer yn fy mhen i, ond o'n i wrth fy modd gyda Hanes a Chymraeg, ac ymarfer corff hefyd, neu *gym*, fel o'n ni'n ei alw bryd hynny, ac o'n i'n aelod o dîm *netball* yr ysgol. Cofiwch, o'n i'n edrych ar ôl fy llyfrau ysgol – bydden i wrthi am oriau'n rhoi cloriau papur brown arnyn nhw er mwyn iddyn nhw edrych yn dda, ac o'n nhw fel newydd bob amser. Y gwaith tu mewn oedd ddim cystal, yn anffodus.

Bryd hynny, os oeddech chi'n ffaelu'r 11+, byddai cyfle arall ymhen dwy flynedd: y 13+. Doedd dim llawer o ddiddordeb gen i ynddo – o'n i'n eitha *laid back* fel mae pobl yn 'i weud heddiw, ond sefyll yr arholiad oedd rhaid, ac yn wir, basies i. Roedd hyn yn

golygu bod cyfle i fi fynd i'r ysgol ramadeg. Yn anffodus, roedd ysgol Pontardawe'n llawn, ond bydde lle i fi yn Ysgol Ystalyfera. Roedd bws yn mynd bob bore o Felindre i Ysgol Clydach, ond doedd dim trafnidiaeth lan i Ystalyfera o'r pentre, felly bydde raid i fi aros lan yna gyda theulu drwy'r wythnos a dod adre ar benwythnosau. Do'n i ddim yn rhy hoff o'r syniad yna, ac roedd Mam yn erbyn yn llwyr. Roedd hi am fy nghadw i gartref gyda 'nheulu, a rhaid i fi ddweud 'mod i'n ddigon hapus i beidio â mynd – roedd Ysgol Clydach yn fy siwtio i'r dim.

Fel sonies i, o'n i'n mwynhau nifer o bynciau, ond y gore o ddigon oedd coginio. Roedd hwn yn rhywbeth o'n i'n hoffi ei wneud, ac roedd athrawes neilltuol 'da ni hefyd – Miss Evans o Ynystawe. Bydden ni'n cael diwrnod cyfan bob wythnos o goginio a gwnïo, gan ddysgu pob math o bethe fydde'n ddefnyddiol yn y cartre fel sut i olchi pilyn fel siwmper wlân neu ddillad sidan. Bob wythnos bron, bydden i'n

Ysgol Clydach, 1951, pan o'n i'n Brif Swyddog

dod â bwyd adre i fwydo'r teulu hefyd – *Victoria sponge* neu gaserol falle – a digon o lysie, wrth gwrs. Ac yn wir, er nad o'n i'n academaidd iawn, ces i fy newis i fod yn Brif Swyddog yn fy mlwyddyn olaf, rhywbeth o'n i'n falch iawn ohono.

O'n i'n cael coginio yn y tŷ hefyd ambell i waith, ond bob tro y bydden i wrthi, bydde Mam a fi'n cwympo mas – mae pawb â'i ffordd 'i hunan o goginio, a falle nag o'dd fy ffordd i cweit mor ofalus ag un Mam. Rwy'n cofio unwaith o'n i'n gwneud *sponge* ac yn pwno'i enaid e yn y bowlen, a'r gymysgedd yn tasgu i bob man, a Mam yn gweiddi arna i am fy mod yn gwneud gormod o lanast. Ddysges i lawer iawn 'da Mam am siwd i redeg cegin. Y peth pwysicaf iddi hi oedd bod yn drefnus. Cofiwch, dyw hynna ddim yn golygu na allwch chi wneud llanast – hyd yn oed heddiw, bydda i'n aml yn taflu pob math o gynhwysion i mewn i'r bowlen wrth goginio i weld beth fydd yn gweithio. Ond os ydych chi'n gwneud llanast, mae'n rhaid i chi ei glirio wrth fynd ymlaen – gwneud llanast trefnus, os yw hwnna'n gwneud synnwyr. Os cliriwch wrth fynd, mae llai o waith yn y pen draw. Rwy wedi trio dweud hyn dro ar ôl tro wrth fy merched-yng-nghyfraith, ond sai'n credu bod cael cegin drefnus mor bwysig iddyn nhw ag yw e i fi. Rhwng Mam a'r hyfforddiant ges i yn y coleg, falle 'mod i'n rhy barticiwlar yn llygaid rhai pobl. Chware teg, mae'r ddwy'n gwrando weithiau, ond falle bod rhaid i fi dderbyn bod pawb â'i ffordd ei hun o weithio yn y gegin. Ond bydda i bob amser yn dweud wrth Manon a Ffion, yr wyresau, 'i bod hi'n bwysig cadw trefn – wi'n gobeithio eu bod nhw'n gwrando arna i, ac y cofian nhw gyngor eu mam-gu.

Miss Morgan oedd yn dysgu gwnïo i ni, ac fe gymerais i at y pwnc hwn hefyd. Rwy'n cofio, pan o'n i tua thair ar ddeg oed, gwneud sgert a thop – siwt smart i wisgo i'r cwrdd ar ddydd Sul. Wedyn prynodd Mam beiriant gwnïo i fi oddi wrth Mrs Jones y Swyddfa Bost. *Treadle machine* oedd e – Singer – a thalodd hi bum punt

amdano. Buodd hwnnw 'da fi am sbel hir, a thros y blynydde bues i'n gwneud fy nillad fy hun – dilyn y ffasiynau diweddara. Fues i'n gwneud dillad i'r plant hefyd ar ôl i fi briodi: wi'n cofio gwneud cot a chap i Huw mas o hen got Mam un tro. Heddiw, pan fydd y bois yn gweld yr hen luniau, maen nhw'n rhyfeddu at y ffordd o'n i'n 'u taclu nhw, ac yn gofyn beth ddaeth drosta i'n gwneud iddyn nhw wisgo'r fath bethe.

Wrth gwrs, yn y cyfnod yma, roedd pawb yn y pentre'n mynd i'r capel yn rheolaidd – Capel Nebo. Roedd y Sul yn ddiwrnod gwahanol iawn yn tŷ ni. Dim ond y pethe cwbl angenrheidiol fydde'n cael eu gwneud, wrth i ni gadw a pharchu diwrnod o orffwys. Bydden ni'n mynd fel teulu dair gwaith bob Sul – cwrdd yn y bore, ysgol Sul yn y pnawn a chwrdd eto yn y nos. Yn ystod yr wythnos, wedyn, roedd y Band of Hope, ac o'n i wrth fy modd ac yn edrych ymlaen bob

Capel Nebo, Felindre

wythnos at yr adrodd, y canu a'r dawnsio. Bydde John a fi'n gorffod dysgu adnod bob dydd Sul i'w hadrodd yn y cwrdd. Am ryw reswm, doedd dim disgwyl i Tegfan a Nancy wneud hynny – falle 'u bod nhw'n llai hyderus fel plant. Hefyd, ar ôl dod adre o'r cwrdd bydde John yn actio'r bregeth ac yn darllen y Beibl ac yn canu. Roedd Mam yn mwynhau chware'r piano, a hi fyddai'n chware'r organ yn y capel hefyd – falle taw ganddi hi y cafodd Paul, ei hŵyr, y diddordeb i wneud yr un peth ddegawdau'n ddiweddarach. Ond dyna hwyl o'n ni'n ei gael 'da John a'i berfformans, a phawb yn reit siŵr y bydde fe'n tyfu i fod yn bregethwr. Ond nid fel 'na fuodd hi. Aeth John yn *Display Manager* yn David Evans yn Abertawe cyn mynd i weithio i Selfridges yn Llundain. Tegfan oedd yr un a aeth i'r weinidogaeth yn y pen draw, flynydde yn ddiweddarach.

Roedd Wncwl Willie'n rhan fawr o 'mhlentyndod i. Yn aml iawn bydden ni'n mynd fel teulu am bicnic lan i Fynydd y Gwair neu Fynydd Gelli Wastad, gydag Wncwl Willie yn dod â'i fotor-beic, a 'Nhad a'i fotor-beic ynte, a ni i gyd fel teulu rywsut ar gefn y ddau. Sputnik oedd yr enw roddon ni ar feic 'Nhad, a hwn oedd yn ein cludo o gwmpas y lle. Sunbeam oedd beic Wncwl Willie. Yn aml, yn ystod misoedd yr haf, bydde Wncwl Willie'n pysgota yn yr afon drwy'r nos, nes clywed hwter y pwll yn y bore. Bydde fe'n neidio'n ôl ar y beic ac yn brysio'n syth i'r gwaith. Saethu bydde 'Nhad yn ei fwynhau, ac yn aml bydde Mam yn cael cwningen i'w rhoi mewn stiw gyda pheli toes.

Merch 'y nhad o'n i bob cam o'r ffordd. O'dd 'Nhad shwd ddyn ffein – doedd dim byd yn ei gynhyrfu, yn wahanol iawn i weddill 'i deulu. Roedd pentre Felindre'n llawn o deulu 'Nhad, a phawb yn cwmpo mas â'i gilydd. Rwy'n cofio gofyn i Wncwl Willie unwaith pam fod y tylwyth i gyd yn cwmpo mas, a'i ateb e oedd bod y teulu 'yn threifo ar argiwments a chwmpo mas'. Sai'n credu bod dim yn gas yn y peth, jest taw fel 'na o'n nhw'n byw. Ond o'dd 'Nhad yn wahanol.

Rwy'n cofio un tro bod angen pâr o sgidie arna i. O'n i wedi bod yn holi Mam nes bod hi wedi danto, a halodd hi fi mas i'r ardd at 'Nhad, er mwyn iddi gael llonydd, wi'n credu. Welodd e 'mod i'n edrych braidd yn ddiflas. A chyn pen dim roedd e wedi cael yr hanes yn llawn, 'mod i am gael sgidie newydd, bod rhaid iddyn nhw fod yn goch (sai'n cofio pam, ond coch o'n nhw i fod), ac nag o'n i'n gwbod beth wnelen i os na allen i 'u cael nhw. Ac medde 'Nhad: 'Dere 'da fi, awn ni i'r sièd nawr.' Yn dawel bach, fel bod neb yn ein gweld ni, ethon ni draw i'r sièd, ac yno, o dan y silff, wedi'i guddio yn ei wellingtons, roedd pecyn o arian. Aeth at hwnnw, tynnu decpunt mas, a'i roi i fi brynu'r sgidie. Meddyliwch! Bant â fi heb oedi lawr i Saxone yn Abertawe, ac o'dd neb yn smartach na fi'r diwrnod wedyn yn fy sgidie coch newydd.

Unwaith erioed weles i 'Nhad yn colli'i dymer. Roedd ein cartref ni'n un hapus dros ben, gyda llawer o chwerthin a hwyl, ond un rheol aur gan Mam oedd fod yn rhaid i ni'r plant gadw'n dawel amser bwyd. Heddiw, mae teuluoedd yn eistedd o gylch y ford yn sgwrsio, ac yn cael hanes y dydd; yn aml, dyma'r unig gyfle mae pobl yn ei gael i siarad yn iawn â'i gilydd. Ond roedd pethe'n wahanol iawn flynydde'n ôl, a doedd dim chwerthin na siarad i fod amser bwyd 'da Mam.

Ta beth, wi'n cofio un dydd Sul a Mam wedi gosod y ford i ni gael te – lliain gwyn a'r llestri gore. Sai'n gwybod beth ddigwyddodd, p'un a oedd Wncwl Willie wedi dweud rhywbeth doniol neu wedi tynnu'i dafod arna i neu beth, ond ddechreues i chwerthin.

'Ena, stopa hi!' medde Mam, ond am unwaith, nath hwnna ddim gwahaniaeth. O'n i'n ffaelu'n deg â rhoi'r gore i'r gigls – 'sdim byd gwaeth. Dal i bregethu wnaeth Mam, ond yn sydyn iawn cafodd 'Nhad ddigon ar 'i chonan, a chollodd ei dymer. Safodd ar ei draed, a heb ddweud gair dyma fe'n tynnu'r lliain oddi ar y ford, ac aeth popeth yn ffradach. Roedd pawb yn syfrdan; torrodd y llestri, sarnodd y bwyd, a rhedodd Mam o'r 'stafell yn llefen. Mam a'i chleber oedd wedi'i wylltio fe, ond alla i ddweud yn reit siŵr, o hynny 'mlaen o'n i'n ofalus iawn i beidio â chwerthin nac yngan gair wrth y ford fwyd.

A ninnau'n tyfu, doedd dim llawer i'w wneud gyda'r nos yn y pentre, felly bob nos Sadwrn, bydde criw ohonon ni yn mynd 'da'n gilydd ar y bws i'r Tiv ym Mhontarddulais. Bydde Teg fy mrawd a Mair ac Owen Llwyngwenno yn mynd bob tro, ac yn cwrdd â phwy bynnag arall oedd am ddod gyda ni. Yma gweles i bob math o ffilmiau a chael y sbort ryfedda. Ond doedd dim aros mas yn hwyr i fod. Bydde Mam yn dweud bob wythnos: 'Cofiwch wneud yn siŵr bo' chi 'nôl ar y bws naw.' A dyna shwd bydde hi hefyd, achos fel y bydde Mam yn ein atgoffa ni bob tro: 'Bws deg yw bws y ryffians,' a doedd neb am fentro ar hwnnw, yn reit siŵr i chi.

Chware teg i Mam, becso amdanon ni oedd hi, ond ambell waith o'n i'n teimlo y galle hi adael i ni gael ychydig mwy o sbort. Roedd bachgen yn yr un dosbarth â fi yn Ysgol Clydach o'r enw John Evans, oedd yn byw yn y Glais. Yn ystod y gwyliau, ces i lythyr ganddo drwy'r post. Welodd 'Nhad e'n cyrraedd, a chyn i Mam gael gafael arno, cuddiodd y llythyr a chwilio am gyfle i'w roi i fi, achos roedd e'n gwybod na fydde Mam yn fodlon. Felly dyma fi'n agor y llythyr, gan drio gwneud yn siŵr nag oedd Mam yn gweld. Gofyn oedd John a elen i gwrdd ag e yn Abertawe. Doedd hyn ddim wedi digwydd i fi o'r blaen, ac o'n i'n eitha' cynhyrfus – bachgen am gwrdd â fi! Ond cyn i fi gael cyfle i ddechre cynllunio, daeth Mam i mewn i'r ystafell a gofyn: 'Beth yw'r llythyr 'na?'

Gorffod i fi ei estyn iddi, ac aeth ati i'w ddarllen. 'Nawr grinda di arna i,' medde hi. 'Os wyt ti moyn gwneud yn dda yn yr ysgol, 'merch i, 'sdim bechgyn i fod, ti'n deall?'

A dyna ni, y cariad cyntaf wedi dod i ben cyn i ni gael un dêt hyd yn oed.

Oedd, roedd Mam yn fenyw benderfynol, ac yn llawer llymach na 'Nhad, hyd yn oed pan o'n ni'n blant bach. Pan o'n ni'n byw yn

Salem, wi'n cofio Mam yn fy hala i lawr i'r siop yn Felindre i nôl y nwyddau a thalu am fwyd yr wythnos cynt. Pan gyrhaeddais i adre, gofynnodd oedd Mr Harries y siop wedi rhoi rhywbeth i fi am fynd i dalu. 'Naddo,' medde fi, ond doedd hynny ddim yn wir. O'n i wedi cael bar o siocled ganddo fe am dalu am y bwyd, ac wedi ei fwyta i gyd wrth gerdded 'nôl dros y Gweunydd. Wedi mynd i'r gwely y noson honno, do'n i ddim yn gallu cysgu am fy mod yn becso am y celwydd. Felly dyma fi'n codi'n dawel ac yn ysgrifennu ar ddarn o bapur: 'Sori Mam, fi wedi gweud celwydd. Do, ges i far o siocled.' O'n i'n gwybod 'mod i wedi gwneud rhywbeth o'i le, achos bydde Mam wastad yn dweud y dylen ni gadw siocled i'w rannu 'da'r plant eraill. Y bore wedyn, wnaeth Mam ddim ond edrych arna i a dweud: 'Wnei di ddim o hynna eto, wnei di, Ena?' Ers hynny, wi'n gweud y gwir bob amser.

Ond doedd Mam 'i hunan ddim yn berffaith chwaith. Soniais i o'r blaen am y llysie bendigedig roedd 'Nhad yn eu plannu yn yr ardd. Wel, blodau oedd dileit Mam, ac roedd hi wrth ei bodd yn sylwi ar y gwahanol fathau o flodau oedd yn tyfu drwy'r flwyddyn. Un tro, ethon ni am drip i Erddi Dyffryn ym Mro Morgannwg, a cherdded drwy'r arddangosfa odidog a lliwgar oedd yno. Roedd hi'n ddiwrnod bendigedig o haf, yr haul yn gwenu a phawb yn mwynhau. Ond am ryw reswm roedd Mam wedi dod ag ymbarél mawr du gyda hi, ac yn ei gario o gwmpas y gerddi, heb ei agor. Yna, pan gyrhaeddon ni adre, agorodd yr ymbarél, a thynnu detholiad o doriadau bach pert o sai'n gwybod sawl un o'r planhigion hardd yng Ngerddi Dyffryn. ''Co ti,' medde hi wrth 'Nhad, 'cer i weithio dy hud 'da'r rhain, a rho nhw mewn potiau yn y tŷ gwydr.' Wel wir, meddyliwch – Mam o bawb!

❧

Bywyd gwaith a Llundain fawr

Wrth edrych yn ôl, mae'n rhwydd cofio blynydde plentyndod fel rhai hapus. Wrth gwrs, roedd pethe'n gallu bod yn anodd; daw trafferthion i ran pawb, ond rwy'n credu bod gen i natur sy'n gweld y gorau ym mhob sefyllfa – hanner llawn yw fy ngwydr i bob tro, nage hanner gwag. Ond wi'n ystyried 'mod i wedi bod yn lwcus iawn i gael cartref sefydlog a theulu o 'nghwmpas i, a chymuned glòs pentre Felindre i ffurfio fy nghymeriad ac i sicrhau bod gwerthoedd Cristnogol a dyngarol yn amlwg ym mhopeth rwy wedi'i wneud drwy 'mywyd.

Ond chaiff plentyndod ddim para am byth, a chyn bo hir daeth yn amser gadael yr ysgol. Fel y soniais i, do'n i ddim yn unrhyw fath o sgolor, felly doedd dim cwestiwn y byddwn i'n rhydd o'r dosbarthiadau academaidd erbyn fy mod i'n un deg chwech. Ond rhaid oedd dod o hyd i rywbeth i'w wneud, ac er falle nag o'n i'n un dda am astudio, do'dd hynny ddim yn golygu nag o'n i'n uchelgeisiol, ac am wneud fy marc mewn rhyw ffordd.

'Roedd gwersi gwnïo Miss Morgan yn talu ar eu canfed, ac yn Llundain o'n i'n cael gweld y ffasiynau diweddaraf ac yn eu copïo wrth wneud dillad i fi fy hun.'

Fuodd dim rhaid aros yn hir, ac yn go glou, ges i jobyn yn ysbyty Treforys fel morwyn yn y gegin. Fy swydd oedd rhoi help llaw i'r cogyddion, drwy baratoi bwydydd a gwneud yn siŵr fod popeth yn cael ei goginio'n iawn. Unwaith i fi ddechrau yn y swydd, ddechreues i hefyd yn y Coleg Technegol yn Abertawe yn dilyn cwrs City and Guilds '147 in Cookery' y London Institute. O'n i'n mynd dair gwaith yr wythnos lawr i'r coleg i ddosbarthiadau dydd a chyda'r nos. Ar ôl y dosbarthiadau o'n i'n dala bws o Abertawe i Bontarddulais ac yna'n cerdded lan dros y mynydd i Felindre. Weithiau bydde Mam yn dod i gwrdd â fi os bydde 'Nhad yn gweithio'r prynhawn neu'r nos yn y pwll. Ond y peth rhyfedd yw nag o'n i byth yn teimlo'n ofnus yn cerdded y ffordd ar fy mhen fy hunan – o'n i wastad yn teimlo'n saff bob cam o'r daith ar hyd y llwybrau cyfarwydd.

Fues i'n gweithio yn yr ysbyty am ryw ddwy flynedd. Er bod gweddill y staff yn gyfeillgar ar y cyfan, rwy'n cofio un achlysur pan oedd pawb dan amheuaeth. Roedd y *Kitchen Officer* wedi bod yn arolygu'r stoc, ac yn reit siŵr bod rhywun yn dwyn wyau o'r storfa. 'Na beth diflas yw gwybod bod pawb yn amau ei gilydd, a bod neb yn gwybod yn iawn pwy y gallen nhw ymddiried ynddyn nhw. Ta beth, fues inne'n gwylio, ac ar ôl ychydig, roedd 'da fi syniad go dda pwy oedd y lleidr. Un prynhawn fe welais i hi'n mynd 'nôl a 'mlaen o'r *storeroom*, a phan ges i gyfle, es i lan i'r *staffroom*, lle'r oedd ei chot hi'n hongian. Dyma fi'n teimlo'r pocedi, a siŵr i chi, roedden nhw'n llawn wyau. Felly beth wnes i oedd bwrw'r pocedi'n galed yn erbyn y wal, a thorri'r wyau i gyd, a dyna sut ffeindion nhw mas taw hi oedd y lleidr. Ddywedes i ddim byd wrth neb – doedd dim angen.

Un diwrnod daeth *sister*, oedd yn ddietegydd yn yr ysbyty, ata i. Sai'n cofio'i henw erbyn heddiw, ond un o dref Gorseinon oedd hi, ac roedd hi'n amlwg wedi bod yn gwylio'r ffordd o'n i'n gweithio. 'Ena,' medde hi, 'chi'n gwastraffu'ch amser fan hyn. Odych chi erioed wedi meddwl mynd i weithio i Lundain?' Wel, nag o'dd y syniad wedi croesi

Grŵp y cwrs arlwyo.
Fi sydd tu ôl i'r tiwtor

fy meddwl i. Pam wnelen i shwd beth? Beth fydden i'n 'i wneud yn Llundain? Rhaid ei bod hi wedi gweld 'mod i'n syn, achos y peth nesa wedodd hi oedd: ''Naf i ddod o hyd i jobyn i chi, a choleg i chi gael gwneud cwrs.' Ac yn wir, o fewn ychydig iawn o amser, roedd hi wedi dod o hyd i swydd i fi yn Ysbyty Coleg y Brifysgol, yn coginio yn un o hosteli'r ysbyty, a lle ym Mholytechnig Battersea i astudio cwrs tair blynedd mewn Hotel and Catering Management.

Roedd symud i Lundain yn beth eitha mawr yn y cyfnod yma. Doedd dim *mobiles* na rhyngrwyd i gysylltu'n rhwydd â gartref, felly roedd e'n benderfyniad pwysig. Doedd Mam na 'Nhad ddim yn hapus iawn i 'ngweld i'n mynd, er bod Wncwl Idris, brawd 'Nhad, yn byw yn

Llundain gyda'i wraig, Anti Beattie, yn Fulham. Doedd dim cwympo mas am y peth, ond roedd fy rhieni, druan, yn becso. Rwy'n cofio 'Nhad yn dweud nad oedd Llundain yn lle ffit i neb fyw ynddo, bod pobl yn lladd 'u hunain yno drwy'r amser. Cofiwch, dim ond unwaith neu ddwy oedd e wedi bod mas o'r pentre drwy ei fywyd cyfan.

Ond o'n i'n benderfynol o wella fy hun. Pan oeddwn i'n blentyn bach roedd un hen wncwl oedd 'da 'Nhad wedi dweud wrtha i nad oedd dim o gwbl yn fy mhen i, ac na fydden i byth yn llwyddo i gyflawni dim. Roedd y geiriau yna wedi stico, ac o'n i'n bownd o'i brofi fe'n anghywir, ac roedd hwnna'n ddigon o sbardun i fi gael y nerth i wneud y penderfyniad i fynd.

Felly bant â fi, yn gyffro i gyd, i weithio fel *assistant cook* yn hostel staff Ysbyty Coleg y Brifysgol, a dilyn y cwrs ym Mholytechnig Battersea un diwrnod a thair noswaith yr wythnos. Roedd cyrraedd yr hostel yn dipyn o agoriad llygad. Roedd hwn yn gyfnod pan allai niwl ofnadwy ddisgyn dros y ddinas a gwneud popeth yn frwnt. Pan welais i'r stafell lle o'n i'n mynd i fod yn cysgu, y peth cyntaf wnes i oedd cydio mewn sbwng a golchi'r lle o'r top i'r gwaelod – y waliau a'r cwbl. Cofiwch, o'n i'n ddigon hapus i wneud hyn – roedd popeth yn antur fawr. Roedd bywyd yn ddierth iawn ar y dechre, ac o'n i'n gweld ishe gartre hefyd. Ond pethe rhyfedd oedd yn fy nharo i – un o'r pethe o'n i'n gweld ei ishe fe fwya oedd clywed ceiliog yn y bore, neu iâr yn clochdar. Doedd dim llawer o'r rheini o gwmpas strydoedd Fulham a Chelsea.

Ond dechreuodd pethe setlo i lawr yn eithaf da. Byddwn i'n gweithio fel arfer o chwech y bore tan ddau y prynhawn, ac yn mynd i'r coleg wedi hynny. Do'n i ddim yn gorffod gweithio'n gynnar bob bore, ac os byddai bore hwyr neu ddiwrnod yn rhydd gen i, byddwn i'n aros gydag Wncwl Idris ac Anti Beattie. Bryd hynny byddwn i'n seiclo drwy ganol Llundain o Gower Street i Fulham, lle roedden nhw'n byw, ac wedyn i fynd i'r coleg bydde'n rhaid seiclo o Fulham drwy Chelsea i Battersea. O'n i'n mynd ar y beic i bobman, achos roedd y syniad o fynd ar y tiwb yn codi arswyd arna i – do'n i ddim am fentro dan ddaear i deithio, er 'mod i'n ferch i löwr. Ond roedd y niwl yn gallu bod yn drafferthus; rwy'n cofio un noson pan oedd cymaint o drwch nes bod rhaid i fi neidio oddi ar y beic a theimlo fy ffordd gydag ymyl y palmant – doedd dim posib gweld yn bellach nag ychydig fodfeddi. O'dd mwgwd 'da fi hefyd i wisgo dros fy nhrwyn fel bod y *smog* ddim yn cyrraedd ataf i.

Roedd Anti Beattie'n gweithio fel metron yn ysbyty'r Royal Marsden yn Llundain, ac yn fenyw *strict* iawn. A dweud y gwir, o'n i ychydig yn ofnus ohoni. O'n i bob amser yn gwneud ymdrech i'w phlesio – byddwn i'n coginio i'r ddau ohonyn nhw pan fyddwn i'n aros 'da nhw, ac roedd hynny'n talu am fy lle. Ond un tro wi'n cofio i fi gael damwain fach, a thorri tebot gore Anti Beattie. O'n i'n poeni'n ofnadwy, ac es i'r gwely'n llefen. Daeth Wncwl Idris i'r ystafell a dweud wrtha i am beidio â llefen, jest prynu tebot arall iddi. Wel wir! Lle o'n i am gael arian i brynu tebot fel yr un yna? £13 y mis oedd fy nghyflog i, ac o'n i'n anfon £5 o hwnnw at 'Nhad a Mam; roedd tri o blant yn dal i fod gartre, ac arian yn brin. Ond dyna fu'n rhaid. Safiais i lan rywffordd a mynd i siop Maples yn Tottenham Court Road, siop grand oedd yn cael ei galw 'The Largest Furniture Store In The World' – hon oedd y siop orau o'n i'n gwybod amdani. A phrynais i debot yn gwmws yr un fath, a jwg a basn siwgr i fatsho. Ond dyna chi mor *strict* oedd hi – doedd dim maddau i fod.

Er mai swydd i ennill arian oedd honno yn yr ysbyty, roedd hefyd yn hyfforddiant rhagorol. Roedd pedair adran wahanol yn y ceginau mawr: *pastry*, pysgod, adar a llysie a *hors d'oevres*. Bydde pob aelod o'r staff yn treulio chwe mis ym mhob adran yn ei thro, felly cafodd pawb sylfaen gadarn iawn ym mhob agwedd ar goginio. Y trueni mawr yw nad oes dim o'r fath i'w weld erbyn hyn mewn sefydliadau tebyg.

Ar ôl blwyddyn o goginio yn yr hostel, o'n i'n dechrau anesmwytho, ac yn teimlo 'mod i eisiau gwneud mwy na choginio bwyd plaen i'r staff. Felly es i weld y *catering officer*, P. H. Venning. Roedd Mr Venning yn ddyn arbennig iawn, ac yn rhedeg y ceginau'n llwyddiannus dros ben. Ymhen rhai blynydde, aeth ymlaen i weithio fel *catering officer* i'r Frenhines ym Mhalas Buckingham. Roedd gwraig Mr Venning yn dod o Gymru, felly roedd ganddo le arbennig yn ei galon i ferch o Felindre. A chware teg iddo, gwrandawodd ar yr hyn oedd gen i i'w ddweud, a rhoddodd e fi i weithio yn adain breifat yr ysbyty. Wel, dyna i chi wahaniaeth! Nid cogyddion cyffredin oedd yn y fan hyn yn gwneud bwyd i gleifion arferol, ond *chefs* go iawn, a llawer o bobl enwog a phwysig yn mynnu cael y bwyd gore ganddyn nhw. Roedd un *chef* wedi bod yn gweithio yn Claridges, a doedd hi ddim yn anghyffredin i weld y dynion mawreddog yma'n taflu sosbenni o gwmpas y gegin, ac yn gweiddi ar y staff os nag oedd y bwyd yn berffaith.

Roedd popeth yn yr adain breifat yn cael ei weini ar blatiau arian, a phob pryd yn cael ei goginio'n unigol. Yn sicr, do'n i ddim yn mynd i goginio brôn i'r bobl hyn! Bydden nhw'n cael pysgod mewn saws crand, a ffowlyn gyda saws lemwn neu domato. Un peth poblogaidd iawn oedd *canapés*. Unwaith, pan oeddwn i'n hyfforddi, gofynnodd un o'r *chefs* i fi baratoi'r *canapés*. Gan 'mod i'n pryderu cymaint am wneud cawlach o'r gwaith, gymerais i ofal mawr, a fues i'n fishi am dros awr yn 'u gwneud nhw. Ond yn lle canmol y bwyd, yn sydyn iawn dyma sosban yn hedfan drwy'r awyr, a llais yn bloeddio na fyddwn byth yn llwyddo mewn unrhyw gwrs os na fyddwn yn tynnu 'mys mas. 'Time is everything' oedd hi gyda'r *chef* arbennig hwn. Ond er bod pwysau arnon ni i gael popeth yn berffaith, roedden ni yn y gegin ar ein hennill hefyd, achos bydden ni'n cael bwyta popeth oedd dros ben. Un o *perks* y swydd!

Ar ôl bod yn y gegin hon am flwyddyn, llwyddes i basio arholiad y 'City and Guilds of London Cooking for the Hotel and Catering Establishments 151'. Ar ôl hynny cefais fy ngwneud yn *assistant head chef*. Ugain oed oeddwn i, yn gorffod cynllunio'r bwydlenni, archebu'r bwyd, gweithio'r costau a phob math o gyfrifoldebau. Roedd tua chant o bobl ar yr adain breifat, gyda bwydlenni'n mynd lan i'r ward er mwyn i'r cleifion gael dewis eu prydau bwyd ar gyfer y diwrnod wedyn.

Wrth gwrs, gan fod hon yn adain breifat, roedd rhai o'r cleifion yno yn llawn ffwdan. Rwy'n cofio un tro i fenyw archebu *cod Véronique*, gan ddweud taw dyna'r unig fwyd yr oedd hi'n fodlon ei fwyta. Roedd gen i broblem – doedd dim *cod* ar gael yn y gegin, nac yn unrhyw un o geginau eraill yr ysbyty. Roedd chwe chegin i gyd, pob un yn coginio ar gyfer gwahanol adrannau o'r ysbyty. Ar ôl pwyso a mesur beth i'w wneud, penderfynais ei mentro hi, ac anfon *sole Véronique* lan yn lle. Wel, os do fe! Daeth neges oddi wrth y *sister* i fi fynd lan at y ward, a dyna lle'r oedd y fenyw yma mewn cyrlers a gŵn llofft du a medde hi yn grand i gyd, 'I'm from Scotland. I know the difference between fish.' Cyn i fi allu stopio fy hunan, atebes i'n ddigon siort, 'So do I, I'm from Wales.' Bu'n rhaid iddi fwyta'r *sole*, doedd dim byd arall i'w gael. Ymddiheurais a chynnig aros yn hwyr i goginio rhywbeth arall iddi. Ond y bore wedyn ces i wybod ei bod wedi gwneud cwyn yn fy erbyn i'r *catering officer* achos nag o'n i wedi anfon y pysgodyn iawn ati. Dyna pa mor ofalus oedd rhaid i ni fod wrth baratoi'r bwyd.

Un o'r cleifion y bues i'n coginio ar ei chyfer oedd Lady Churchill, gwraig y cyn-brif weinidog Winston Churchill. Roedd llawer o sôn cyn iddi ddod ei bod yn fenyw anodd ei phlesio, felly cymerais ofal arbennig wrth baratoi brest ffowlyn gyda saws lemwn iddi. Wrth i ni fynd ati i gael popeth yn barod, bu'n rhaid anfon rhywun mas ar ras i brynu melin bupur – doedd dim un yn yr ysbyty, a doedd *sprinkler* ddim yn gwneud y tro iddi. Ches i ddim clywed ei barn hi am y bwyd, ond chafon ni ddim cwynion amdano, felly mae'n rhaid ei fod wedi plesio. Doedd pawb ddim mor ffyslyd, ac ar y cyfan roedd y cleifion yn gwerthfawrogi'n gwaith ni. Rwy'n cofio, er enghraifft, i'r cricedwr Dennis Compton fod yno gyda ni am sbel, ac roedd e'n ddyn hyfryd.

O'n i'n dod ymlaen yn dda gyda phawb yn yr ysbyty. Roedd pobl yno o bob rhan o'r byd. O Jamaica oedd y rhan fwyaf o'r *domestics* yn dod, ac roedd porthor yno o Gyprus hefyd. I fi, doedd dim gwahaniaeth rhwng y bobl hyn ac unrhyw un arall, ond nid pawb fydde'n cytuno bryd hynny. Roedd un fenyw, Princess, yn grefyddol iawn, ac yn dwlu ar symbolau a chanu. Holodd hi fi un diwrnod: 'Heena,' – dyna oedd hi'n fy ngalw i – 'Do you go to chapel?' Ces i'n synnu braidd gan y cwestiwn, ac atebais fy mod i'n mynd yn rheolaidd, bob Sul pan allwn i. Gwenodd hi arna i a dweud: 'We all thought you did – you treat us differently from the others.'

Roedd cymuned glòs iawn gan y gweithwyr, ac wrth gwrs o'n i 'di arfer â bod yn rhan o gymuned 'nôl gartre. Cefais i wahoddiad i briodas un tro yn Paddington. Dyna i chi ddiwrnod da oedd hwnnw, ond wrth edrych o gwmpas, sylwes i mai fi oedd yr unig berson gwyn yn y lle. Y dyddiau hyn, mae pawb yn cymysgu 'da'i gilydd, does dim ots pa liw yw croen neb, ond 'nôl yn y pumdegau yn Llundain, roedd hi'n llawer mwy anodd creu cysylltiad â phobl o gymunedau gwahanol. Do'n i ddim erioed wedi arfer â phobl ddu – doedd neb du yn Felindre – ac mae'n siŵr y bydde Mam a 'Nhad wedi cael cathod bach yn meddwl amdana i'n cael shwd hwyl yng nghanol y briodas hon, ond roedden nhw'n ffrindie da. Rwy'n credu ei fod yn bwysig i ni drin pawb yr un fath, ac fe siarada i yn yr un ffordd â brenin, cardotyn, gweinidog neu dafarnwr. Sai'n deall y rhai sy'n mynnu bod gwahaniaethau rhwng pobl o wahanol hil neu gefndir. Plant Duw ydyn ni i gyd.

Lleden chwithig (*sole*) Véronique

I weini 4

Un o'r prydau wnes i eu paratoi yn adain breifat Ysbyty Coleg y Brifysgol yn Llundain.

Cynhwysion

2 leden chwithig
1 gwydraid gwin o ddŵr
1 gwydraid gwin i win gwyn
2 sleisen o lemwn
110g / 4 owns o rawnwin gwyrdd wedi eu pilio a'r croen wedi ei dynnu

Y Saws

25g / 1 owns o fenyn
25g / 1 owns o flawd plaen
pinsiad o halen a phupur
120ml / 4 owns hylif o hufen sengl
1 melynwy

Dull

- Tynnwch y ffiledi oddi ar yr asgwrn (neu ofyn i'r gwerthwr pysgod i'w wneud) a thynnu'r croen.
- Plygwch bob ffiled yn ei hanner. Rhowch y ffiledi mewn dysgl addas i'r ffwrn ac arllwys y dŵr a'r gwin drostyn nhw. Ychwanegwch y lemwn a halen a phupur i flasu.
- Potsiwch nhw am 10 munud mewn ffwrn wedi ei gynhesu i 180C / 350F / Nwy 4. Draeniwch nhw, gan gadw'r hylif ar gyfer y saws.
- I wneud y saws: toddwch y menyn mewn sosban a throi'r blawd i mewn. Ychwanegwch hylif y pysgod a throi nes iddo ddod i'r berw. Ychwanegwch yr hufen a'r melynwy.
- Trowch dros wres isel nes iddo drwchu.
- Ychwanegwch y grawnwin at y saws. Rhowch y ffiledi lleden ar blât, arllwys y saws drostyn nhw a'u haddurno â sleisiau o lemwn.

O'n i'n dipyn o ffrindie 'da un o'r swyddogion diogelwch yn yr ysbyty – Francis Taylor oedd ei enw. Byddwn i'n sgwrsio'n gyson 'dag e, yn rhoi hanes Cymru a phob math o bethe eraill. Daeth e ata i i'r gegin un diwrnod a dweud bod 'na hen drempyn wedi marw ar un o'r wardiau, ac mai'r cwbl oedd yn ei fag oedd Beibl Cymraeg a Geiriadur y Beibl. Ges i gynnig y llyfrau, ac fe'u cymeres i nhw. Roedd e'n shwd sioc i feddwl bod yr hen ŵr druan wedi marw ar ei ben ei hun. Tasen i wedi gwybod amdano, bydden i wedi mynd i'w weld e, ond o'n i'n falch iawn i gael ei lyfrau. Do'n i ddim erioed wedi gweld Geiriadur y Beibl o'r blaen, ac fe roddes i fe i 'mrawd Tegfan pan aeth e i astudio i fynd yn weinidog. Ond mae'r Beibl gen i o hyd – Beibl mawr a geiriau clir, rhwydd eu darllen. Dros y blynydde rwy wedi meddwl lot am yr hen greadur – pwy oedd e, tybed, ac o ble daeth e? Falle nag o'n i'n ei nabod e, ond o leiaf mae rhywun yn cofio amdano hyd heddiw.

Un o'r pethe es i 'da fi i Lundain oedd yr hen beiriant gwnïo Singer roedd Mam wedi'i brynu i fi oddi wrth Mrs Jones y Swyddfa Bost yn Felindre. Roedd gwersi gwnïo Miss Morgan yn talu ar eu canfed, ac yn Llundain o'n i'n cael gweld y ffasiynau diweddaraf ac yn eu copïo wrth wneud dillad i fi fy hun. Roedd dillad yn bwysig iawn i fi bryd hynny, fel maen nhw o hyd. Bob mis byddwn i'n mynd 'nôl i Felindre i weld y teulu, ac rwy'n cofio unwaith i fi brynu cot nefi smart a het goch a phlu ynddi ac ymbarél tal. Wel, wrth gerdded lan at y tŷ, pwy welwn i ond Tegfan a Nancy yn sefyll ar bwys y gât, yn gweiddi ar Mam yn y tŷ: 'Mam! Dere i weld Ena! Mae fel model yn cerdded lawr y stryd!' Y gyfrinach yw gwybod beth sy'n eich siwtio chi – nid y ffasiwn ddiweddaraf bob tro, ond dillad sy'n gwneud i chi edrych yn dda.

Un o'r llefydd bydden i'n taclu lan i fynd iddo oedd y capel, ac i gapel Cymraeg Tabernacl Kings Cross o'n i'n mynd bob wythnos. Roedd nifer o resymau eraill, wrth gwrs, dros fynd i'r capel; dyna'r lle gorau i gwrdd â siaradwyr Cymraeg ifanc, ac roedd y bywyd cymdeithasol yn ardderchog, ond yn y capel y ces i fy magu hefyd, felly roedd yn bwysig iawn i fi fod yr arfer yna'n cael ei gadw. Mae ffydd wedi bod yn bwysig i mi ar hyd fy mywyd, a dyw hynny ddim wedi newid. Dyw fy iechyd ddim wedi bod yn arbennig dros y blynydde diwethaf, ond wi'n gwybod bod Duw gyda fi, ac mae'n gysur mawr gwybod y bydda i ryw ddiwrnod, gyda'i help e, unwaith eto'n gallu cerdded mor sionc ag y byddwn i a finne'n ferch ifanc yn Llundain ddegawdau yn ôl.

Digwyddodd un peth pan o'n i'n byw yn Llundain roddodd gadernid mawr i fy ffydd. Un diwrnod yn y gwaith, ges i ryw deimlad rhyfedd fod 'Nhad yn dost. Dries i shiglo'r teimlad, ond roedd e'n dod 'nôl a 'nôl drwy'r amser. Bryd hynny, doedd dim ffôn 'da'n rhieni yn y tŷ, felly doedd dim ffordd i fi gysylltu â nhw. Aeth y becso'n waeth wrth i'r diwrnod fynd yn ei flaen. Doedd dim amdani yn y pen draw ond gofyn i un o'r *chefs* gael benthyg dwybunt i gael y trên 'nol i dde Cymru; dyna mor siŵr o'n i fod rhywbeth o'i le. Felly dyma ddala'r trên a chyrraedd Abertawe, oedd dan drwch o eira. Dales i fws wedyn i Glydach a Chraig-cefn-parc, a gorffod cerdded rhyw bum milltir drwy'r eira trwy bentre Salem yn ôl i Felindre. Roedd y ffordd drwy'r

O'n i wastad yn hoffi taclu'n smart

Gweunydd yn unig yn y nos, ond roedd y lleuad yn disgleirio a'r byd yn wyn i gyd. A dyna pryd ges i deimlad rhyfedd eto, fod Iesu Grist yn cerdded gyda fi. Merch ifanc dan ugain oed oeddwn i bryd hynny, a fel y rhan fwyaf o bobl ifanc, wedi dechrau cael amheuon am grefydd, ond wir i chi, aeth rhyw gryd drosto i wrth feddwl bod Iesu Grist yn gwneud yn siŵr 'mod i'n saff. Cyrhaeddais i'r tŷ o'r diwedd, a dyna sioc gafodd pawb o 'ngweld i yn y drws. Ac oedd, roedd 'Nhad wedi cael damwain yn y pwll – y peth y bydd teulu pob glöwr yn ei ofni bob diwrnod o'u bywyde. Diolch i'r drefn, doedd e ddim wedi cael anaf gwael, ond torrodd fysedd ei draed yn y cwymp. A dyna falch o'n i 'mod i wedi gallu mynd i'w weld e. Yr wythnos ganlynol, sonies i wrth y gweinidog yng Nghapel Kings Cross, y Parch. W. T. Owen, am yr hyn oedd wedi digwydd. 'Wel, Ena fach,' medde fe, 'chi wedi cael profiad, a bydd hwnna'n aros gyda chi am byth.' Mae'r geiriau yna wedi bod yn gymorth mawr i fi sawl tro dros y blynydde.

Tŷ coffi o gyfnod Llundain

Ond fel sonies i, y capel oedd y lle hefyd i fynd i gwrdd â phobl ifanc eraill a chael hwyl. Roedd y Parchedig W. T. Owen yn groesawgar iawn, a byddai pob math o weithgareddau'n cael eu trefnu yn y capel ar ein cyfer. Bydden ni'n mynd i'r gwasanaeth ar nos Sul, ac yn aml iawn, bydde eisteddfod neu gyngerdd yn dilyn yr oedfa. Yna, bydde'r ieuenctid yn mynd yn un criw mawr i'r Lyons Corner House i gael coffi a gwrando ar gerddoriaeth. Roedd yr hwyl yn ddigon diniwed, ond roedden ni'n chwerthin ac yn cael sbort i ryfeddu.

Yn y Tabernacl y cwrddes i ag un o fy ffrindie gorau, Indeg. Merch o Landeilo oedd hi, a'i thad yn bregethwr rhwng Cross Hands a Llandeilo, felly roedden ni'n dod o'r un math o ardal. Stiwdent oedd Indeg, yn yr Academi Gerdd Frenhinol, yn chware'r piano ac yn canu. Rhaid i fi gyfadde, pan gwrddes â hi gynta, wnes i ddim cymryd ati o gwbl. Hen snoben o'dd hi, yn fy marn i, â rial meddwl o'i hunan 'da hi. Ond ar ôl yr oedfa un noson, gofynnodd Mr Owen i'r bobl ifanc aros ar ôl i ddechre gweithio ar ddrama. Dyna wnaethon ni, ac ar ôl y cyfarfod hwnnw aeth Indeg a fi am goffi. O hynny ymlaen, doedd dim gwahanu arnon ni, ac mae Indeg yn dal yn ffrind agos, yn byw 'nôl yma yng Nghymru, yng Nghapel Hendre erbyn hyn, ac yn arwain côr yn Rhydaman, er ei bod hi dros bedwar ugain oed.

Rwy'n cofio un eisteddfod yn arbennig, yng nghapel Charing Cross, a phenderfynodd Indeg a fi y bydden ni'n cystadlu. Wrth gwrs, roedd hwn hefyd yn gyfle i daclu lan a gwisgo'n dillad gore. 'Yr Hen Bobol' oedd adroddiad Indeg, ond fy newis i oedd 'Paid Gwerthu dy Gymraeg'. Mae'n rhaid ein bod wedi gwneud argraff, achos soniwyd amdano yn y papur, ac wi'n cofio pob un o eiriau'r gerdd dros hanner canrif yn ddiweddarach. Ac wi'n falch i ddweud taw fi enillodd y noson honno.

Roedd Indeg, fel fi, yn hoffi dillad smart, ac roedd ganddi *cape* a het wen ffwr – wel, 'na chi steil. Ar ôl capel un nos Sul, gofynnodd i fi fynd â'r *cape* a'r het 'da fi, a dod â nhw i'w fflat hi'r noson ddilynol. Nag o'n i'n deall pam, ond roedd Indeg yn benderfynol. Ar y pryd roedd hi'n caru 'da bachan o ogledd Cymru, a oedd yn *manager* yn Saxone yn Oxford Street. Roedd y berthynas wedi bod yn simsanu braidd, ac roedd hi wedi penderfynu ei bod wedi cael digon arno fe. Wedodd hi wrtha i am ddod draw i'r fflat ar y nos Lun, achos bydde fe yno, a nag oedd hi am fod yno ar ei phen ei hun 'dag e. Roedd hyn yn golygu bod rhaid i fi, felly, seiclo draw o Gower Street yr holl ffordd i Baker Street i fflat Indeg, a mynd â'r dillad crand gyda fi rywsut. Wel, dim ond un ffordd oedd i'w cario nhw – eu gwisgo – ac wrth i fi aros yn y traffig i'r goleuadau newid yn wyrdd, gallwn i glywed pobl yn dweud: 'Ooh, look at that one in her furs and a hat – on a bike!' Gyrhaeddes i o'r diwedd, ond doedd Indeg ddim am i fi fynd – roedd rhaid i fi aros yn y fflat tan i Mr Saxone adael. Roedd e yno am oriau, ond pharodd y berthynas ddim yn hir ar ôl y noson honno – cwplodd Indeg 'dag e'n reit glou.

Nid y capel oedd yr unig le i gael sbort. Bydde'r gymdeithas Gymraeg hefyd yn trefnu pob math o ddigwyddiadau, a byddwn i'n mynd i bob dawns oedd yn cael ei threfnu. Roedd un ffrind arbennig gen i yn y cyfnod hwn – Powys Davies oedd ei enw fe. Roedd siop gemist dag e, a daethon ni'n eitha agos. Ond roedd e'n llawer mwy *keen* arna i nag o'n i arno fe – ffrind oedd e i fi, a dim mwy. Symudodd e wedyn 'nôl i ogledd Cymru, a phriodi yn y pen draw â merch o Drefach. Welais i ddim ohono wedyn, ac mae e, fel cynifer o'r criw, wedi marw erbyn hyn.

Roedd y cyfnod yn gyffrous iawn, a phobl yn gwneud ffrindie agos cyn symud ymlaen. Lle i basio drwyddo oedd Llundain i ni; doedd braidd neb yn setlo yno, felly am gyfnod byr y bydden ni'n creu cysylltiad cyn gwasgaru. Ar wahân i Indeg, sai'n credu 'mod i mewn cysylltiad â neb o'r cyfnod erbyn hyn, ond dyw hynny ddim yn golygu nag oedd y ffrindiau oedd gen i ar y pryd yn rhai triw iawn.

Er bod bywyd yn llawer cyflymach yn y ddinas, mae'n deg dweud ar y cyfan yn ystod y cyfnod hwn 'mod i'n byw yn yr un ffordd ag y bydden i 'nôl yn Felindre – mynd i'r gwaith, astudio, mynd i'r capel. Fues i erioed mewn *nightclub* yn Llundain na hyd yn oed mewn tafarn. Roedd digon o hwyl yn y Lyons Corner House heb orffod mynd i chwilio am ragor. Ond rwy'n cofio'r ddiod alcoholig gyntaf i fi ei chael erioed. O'n i ar y trên o Paddington 'nôl i Abertawe un penwythnos, a gyferbyn â fi yn y *compartment* roedd sowldiwr bach yn eistedd. Buon ni'n sgwrsio am ychydig, yn rhoi'n hanes i'n gilydd – o Rydaman o'dd e'n dod – ac ar ôl sbel tynnodd e fflasg mas a gofyn,

Cerdyn gan Indeg o'r 1990au, yn cofio am y clogyn a'r het, er nad o'dd ci 'da fi!

'Licech chi ddrinc bach?' O'n i ddim yn gwybod beth i'w ddweud achos nag o'n i erioed wedi blasu alcohol. ''Co chi,' medde fe, '*gin and orange*.' Wel, o'dd y sgwrs yn llifo wedyn, a drefnon ni i gwrdd eto yng nghanol Abertawe ar y dydd Sadwrn. Ond erbyn cyrraedd adre ac adrodd yr hanes, do'dd dim perswadio ar Mam, a ches i ddim mynd yn agos i Abertawe'r penwythnos hwnnw. Ond dyna chi, y drinc cyntaf, gyda milwr bach o Rydaman ar y trên – a joies i, rhaid dweud. Falle taw dyna'r cynta, ond yn bendant, nage dyna'r ola!

Trwy'r cyfnod hwn o'n i'n gweithio'n galed yn yr ysbyty ac yn y coleg. Ar ôl gorffen y City and Guilds, es i astudio sut i ddysgu a gwneud diploma fydde'n caniatáu i fi roi gwersi i oedolion. Eto, un diwrnod yr wythnos oedd hyn, yn y Northern Polytechnic, a'r ddarlithwraig yn dod o Aberteifi – mae pobl o Gymru ym mhob man drwy'r byd! Ac ar yr un pryd, mae'n rhaid 'mod i'n gwneud rhywbeth yn iawn yn yr ysbyty, achos ar ôl pedair blynedd o weithio yno, ges i fy mhenodi'n *Head Chef*.

Gweithio ym Mholytechnig Battersea. Fi yw'r un sy'n edrych dros ysgwydd y tiwtor

Ond prin flwyddyn ar ôl i fi gael fy nyrchafu'n *Head Chef*, aeth Mam yn dost. Roedd tri o blant yn dal gartre, a 'Nhad yn gweithio dan ddaear, ac roedd yn rhaid i rywun edrych ar ôl y teulu. Pan ofynnodd 'Nhad i fi ddod 'nôl, do'dd dim dewis, nag o'dd e? Ro'n i'n gwybod na fydde fe'n gofyn os nag o'dd wir fy angen i. Felly dyna ni, fel 'na o'dd hi, gorffod i fi roi'r gore i'r swydd yn yr ysbyty, ffarwelio â'r bywyd dinesig, a dod adre i ofalu am y teulu. Hwyl fawr Llundain, helo unwaith eto Felindre.

❧

Y noson ola cyn gadael Llundain

Cilymaenllwyd a chariad oes

Roedd gadael Llundain yn rhywbeth ddigwyddodd yn sydyn. Ches i ddim amser i ystyried beth oeddwn i am ei wneud. Ches i ddim amser i gynllunio'r dyfodol, nac i feddwl pa fath o yrfa oeddwn i am ei chael yn y byd mawr. Falle mai dyna'r ffordd ore. Mae'n siŵr 'mod i'n gwybod yn fy nghalon mai adre i Gymru y bydden i'n dod yn y pen draw – alla i ddim dychmygu byw a bwrw gwreiddiau yn unman arall. O'n i'n falch iawn 'mod i wedi treulio amser yn Llundain, ac yn lwcus iawn 'mod i wedi cael y cyfle i fynd. Falle tase cwrs wedi bod ar gael i fi, fydden i wedi aros yng Nghymru. Agorodd y coleg hyfforddi yng Nghaerdydd flwyddyn neu ddwy ar ôl i fi fynd i Lundain; meddyliais am fynd yno, a ches fy nerbyn i astudio, ond roedd rhaid talu £330 o ffïoedd bob tymor. Chware teg iddo, cynigiodd Wncwl Willie fenthyg yr arian i fi, ond o'n i – fel 'Nhad – ddim yn hoffi'r syniad o fenthyca arian, rhag ofn i fi fethu â'i dalu'n ôl. Aros yn Llundain wnes i felly, a sai'n difaru dim.

'... fe glywais i wedyn fod dau o'r gweithwyr welodd fi'n cyrraedd yn meddwl taw fi oedd y fetron newydd. Do, fe wnes i argraff arbennig ar un o'r gweithwyr hynny . . .'

Does dim gwadu nag o'n i'n gwneud yn dda yno; o'n i mewn swydd gyfrifol, ac yn ei chyflawni'n llwyddiannus, ac roedd fy mywyd cymdeithasol yn llawn sbri. Tua'r adeg hon, roedd Delia Smith yn astudio ac yn gwneud yr un math o gwrs â fi. Pwy a ŵyr – tasen i wedi aros yn Llundain, a datblygu fy ngyrfa, na fydden i wedi cyrraedd y teledu llawer iawn yn gynt na wnes i, ac mai llyfrau Ena fydde pawb yn eu defnyddio drwy'r byd, yn hytrach na rhai Delia. Ond does dim taten o werth tybied a dyfalu. Sai'n difaru am eiliad i fi adael Llundain, a hyd yn oed pan y'ch chi'n ifanc a'ch bywyd i gyd o'ch blaen, mae rhai pethau sy'n llawer iawn pwysicach na goleuadau'r ddinas a chael hwyl. Roedd fy angen i ar y teulu, ac mae hynna'n dod o flaen popeth.

Fel 'na fuodd hi felly; 'nôl i Felindre, at Mam a 'Nhad, John, Tegfan a Nancy. Anhwylder ar ei chalon oedd ar Mam, a doedd hi ddim yn gallu gwneud fawr ddim ond gorffwys, felly am chwe mis, fi oedd yn golchi, glanhau, smwddio a gwneud bwyd i'r teulu. Unwaith i fi ddod 'nôl, o'n i wrth fy modd i fod gartre, ac wrth i Mam ddechre gwella, doedd dim ysfa o gwbl i fynd 'nôl i'r ddinas fawr. Roedd y cyfnod hwnnw o 'mywyd i nawr ar ben. Ond pan ddaeth Mam i ailafael mwy yng ngwaith y cartre, o'n i'n dechrau anesmwytho. Sai'n un i eistedd lawr a gwneud dim. Mae'n rhaid i fi fod yn brysur, a doedd dim digon o waith tŷ i'r ddwy ohonon ni, felly ysgrifennais at P. H. Venning, y *catering officer* oedd wedi rhoi gwaith i fi yn Ysbyty Coleg y Brifysgol, gan ofyn iddo tybed oedd e'n gwybod am unrhyw swyddi fyddai'n gweddu i mi. Roedd Mr Venning yn ddyn dylanwadol, ac yn gwybod beth oedd yn digwydd ym mhobman. Yn fuan iawn, ces i lythyr ganddo'n dweud bod Bwrdd Ysbyty Glantawe wedi prynu hen blasty Cilymaenllwyd, cartref yr hen deulu Stepney, ym mhentre Pwll, Llanelli. Ro'n nhw am agor cartref gwella i gleifion fynd iddo ar ôl llawdriniaeth yn Ysbyty Cyffredinol Llanelli.

Anfonodd e *testimonial* yn rhoi ei farn amdana i fel gweithiwr, a gyda hwnna tu cefn i fi, o'n i'n reit hyderus wrth ymgeisio am swydd arlwyo yn y cartref.

Fore'r cyfweliad am swydd Pennaeth y Gegin, fe dacles i'n ofalus. O'n i wedi meddwl yn hir am fy ngwisg. O'n i am greu argraff dda, ac edrych yn broffesiynol, ond do'n i ddim am iddyn nhw feddwl 'mod i'n becso gormod am ffasiwn i wneud y gwaith yn iawn. Rwy'n cofio hyd heddiw beth ddewises i; costiwm brown gyda streipen *maroon* a het â phlufyn coch, ac yn fy llaw roedd *briefcase* yn llawn *menus*. O'n i'n gwybod 'mod i'n edrych yn dda, ac fe glywais i wedyn fod dau o'r gweithwyr welodd fi'n cyrraedd yn meddwl taw fi oedd y fetron newydd. Do, fe wnes i argraff arbennig ar un o'r gweithwyr hynny, ond fe gewch chi fwy o'i hanes e nes 'mlaen.

Cilymaenllwyd, a char Geoff ar y chwith

Beth bynnag, daeth Matron David i gwrdd â fi, ac o'n i'n gwybod yn syth ei bod hi am fy nghael i weithio yno, ac yn wir fe ges i'r swydd. O ysbyty Llanelli roedd Matron David yn dod, ac roedd hi'n fenyw *strict* ofnadwy – bryd hynny, y fetron oedd y bòs. Roedd hi'n rhedeg popeth fel watsh, ac am wybod beth oedd yn digwydd ym mhob rhan o'r cartref. Roedd awyrgylch hyfryd yng Nghilymaenllwyd. Doedd y cleifion ddim yn ddifrifol wael, achos dod yna i wella oedden nhw. Roedd y sefydliadau hyn – y *convalescent homes* – yn gyffredin yn y cyfnod yma, ac yn cynnig cyfle i bobl orffwys cyn gorffod edrych ar ôl eu hunain gartref. Mae'n drueni fod y drefn wedi dod i ben. Mae shwd gymaint o bobl y dyddiau hyn yn gorffod gadael yr ysbyty cyn eu bod nhw'n ddigon iach i ymdopi, ac os nag oes rhywun gartref i ofalu amdanyn nhw, mae'n gallu bod yn anodd iawn.

Yr un jobyn oedd hwn ag oeddwn i wedi bod yn ei wneud yn Llundain, sef rhedeg y gegin, a'r tro hwn roedd cyfle i fi roi fy stamp fy hun ar y lle, achos fi oedd yna o'r dechre. Roedd gofyn i fi archebu bwyd, trefnu'r prydau, a sicrhau bod pawb yn cael digon o faeth wrth iddyn nhw wella. Hanner cant o gleifion oedd yna, hanner y nifer fuodd yn Llundain. Fel y dywedais i, roedd Matron David yn *strict* iawn, ac yn dod yn aml i weld beth oedd yn digwydd yn y gegin. O'n i'n cael fy rhoi dan beth pwysau i dorri lawr ar faint o fwyd o'n i'n ei ddefnyddio. Ro'n nhw'n meddwl 'mod i'n defnyddio gormod o bethe fel te a blawd – a siwgr yn fwy na dim. Wel, roedd gen i gwpwrdd bach yn y gegin a chlo arno, a thros amser, fe lenwes i fe â siwgr. Pan ddele Matron David i wneud yn siŵr bod y bwyd iawn yn y pantri, roedd stôr fach gyfrinachol 'da fi o'i golwg hi. O'n i'n ei ychwanegu at y bwyd i roi blas da i'r cleifion druan. Ac roedd y bwyd yn hyfryd – bwyd iach i'w helpu i wella, a dim cwynion gan neb.

Roedd Cilymaenllwyd mewn safle bendigedig – wel, fydde'r teulu Stepney byth wedi adeiladu eu cartref mewn lle diflas, fydden

Cawl berw'r dŵr

I weini 4

Pan o'n i'n groten fach yn ystod y rhyfel, o'n i'n arfer mynd i lannau nant Crwca Bach ym mhentref Felindre i gasglu berw'r dŵr i Mam wneud cawl iachus, yn llawn haearn.

Cynhwysion

350g / 12 owns o ferw'r dŵr ffres wedi ei dorri'n fras
1 winwnsyn wedi ei dorri'n fân
4 sialotsyn gwyrdd
1 ewin o arlleg wedi ei falu
2 daten fawr wedi eu pilio a'u torri
570ml / 1 peint o stoc cyw iâr neu lysiau
150ml / ¼ peint o hufen sur
pinsiad o nytmeg

Dull

- Rhowch y winwnsyn, y sialóts, y garlleg, y tatws a'r stoc mewn sosban drom. Gorchuddiwch a dewch ag e i'r berw.
- Gostyngwch y gwres a'i fudferwi am 15 munud.
- Ychwanegwch y berw'r dŵr a mudferwi am 5 munud.
- Proseswch nes ei fod yn llyfn a gadael iddo oeri.
- Sgeintiwch y nytmeg dros y cawl cyn ei weini gyda'r hufen sur.

nhw? – ac rwy'n cofio, un amser cinio braf yn yr haf, mynd am dro yn y caeau o amgylch y tŷ. Gerllaw nant fach oedd yn llifo rhwng dau gae, sylwais fod berw'r dŵr yn tyfu'n gryf, felly es i draw i gasglu peth – bydde fe'n ychwanegiad hyfryd at salad ham y cleifion. Wrth i fi droi 'nôl am y gegin, clywais rywun yn gweiddi, a dyna lle'r oedd ffermwr cas iawn yr olwg, a'i wyneb yn goch, yn brasgamu tuag ata i er mwyn rhoi llawn pen i fi am ddwyn y berw'r dŵr. Roedd e'n credu 'mod i'n ei gasglu i'w werthu ym marchnad Llanelli – roedd gan nifer dda o drigolion Pwll stondinau yno ar y pryd i werthu cynnyrch eu gerddi. Ond pan ddywedais wrtho mai ei gasglu i fwydo'r cleifion oeddwn i, newidiodd ei gân ar unwaith, a holodd a oeddwn i'n siŵr fod digon gen i yn fy masged. Chware teg iddo, roedd yn awyddus i wneud popeth alle fe i helpu achos da.

Roedd awyrgylch y gegin yng Nghilymaenllwyd yn wahanol iawn i'r ysbyty yn Llundain. Yn fan 'na, *Jamaicans* oedd y gweithwyr i gyd. Doedd dim shwd beth yn Llanelli – pobl Pwll oedd yn helpu yn y gegin fan hyn – ac roedd hi'n dda cael bod 'nôl yng nghanol Cymry unwaith eto.

Mae Pwll bron i bymtheng milltir o Felindre, felly roedd rhaid dod o hyd i ffordd o deithio'n ôl ac ymlaen o'r gwaith. Doedd dim bysus yn mynd ar amser cyfleus, wrth gwrs, felly beth wnes i oedd prynu motor-beic bach *2-stroke*. O'n i'n gadael y tŷ bob bore felly yn fwg ac yn sŵn i gyd, a'r beic bach yn mynd â fi pob cam o'r ffordd. Aeth hyn ymlaen yn iawn am chwe mis, ond un diwrnod rhedes i mas o betrol. Dyna i chi beth diflas, ac oedd e'n ddigon i fi ddanto 'da'r hen beiriant, wir. Penderfynais fod rhaid gwerthu'r beic bach a chwilio am *digs* ym mhentre Pwll.

Bues i'n lwcus i gael lle i aros yn glou iawn, gyda phâr priod a oedd yn byw jest ar waelod y rhiw oedd yn arwain lan at Gilymaenllwyd. Emily a Wilf oedd eu henwau nhw. Ges i amser hapus iawn gyda'r ddau, roedden nhw mor groesawgar, ac yn edrych

arna i fel aelod o'r teulu – Anti Em o'n i'n galw Emily. Roedd ystafell yn y tŷ 'da fi i fi'n hunan, ond o'n i'n defnyddio'r lle fel cartre, a byddwn i'n cael bwyd gyda nhw ac yn sgwrsio'n rhwydd bob dydd.

Os cofiwch chi, fe wnes i dipyn o argraff ar un neu ddau o bobl pan gyrhaeddais Gilymaenllwyd am y tro cyntaf yn y costiwm brown, yn enwedig trydanwr oedd yn dod o'r ysbyty yn Llanelli'n aml i drwsio'r liffts a gofalu bod y lle'n ddiogel. Geoff Thomas oedd ei enw, mab i deulu Thomas y pobwyr yn nhref Llanelli. Fe oedd yr un oedd wedi sylwi arna i, gan feddwl yn siŵr taw fi oedd y fetron newydd am fy mod i'n edrych mor bwysig gyda'r *briefcase*. Ta beth, un diwrnod, roedd e lawr yn gwneud rhywbeth 'da'r liffts, a chynigies i ddisgled o de iddo. Nag o'dd Geoff yn un i wrthod disgled bryd hynny – na nawr –

Y motor-beic bach aeth â fi 'nôl a 'mlaen i'r gwaith am sbel felly daeth e i'r gegin, ac mae'n siŵr bod 'da fi ryw bice ar y maen neu deisen ar waith, felly cafodd damed i'w fwyta hefyd. Dyna'r ffordd i ddal sylw dyn! Roedd hi'n agosáu at y Nadolig, a phawb yn y gwaith yn edrych 'mlaen at y ddawns fawr yn Neuadd y Ritz yn Llanelli. Gofynnodd Geoff i fi a oeddwn i'n bwriadu mynd. Wel, wrth gwrs o'n i'n bwriadu mynd – fydden i byth wedi colli noson fawr fel 'na! Cyn gadael y gegin, roedd Geoff wedi gwneud i fi addo y bydden i'n cael dawns 'dag e. A dyna chi ddechrau pethe. Ymhen chwe mis roedden ni wedi dyweddïo, a llai na blwyddyn wedyn o'n ni'n briod.

Ond roedd angen dod i nabod ein gilydd gyntaf wrth gwrs, a'r cyfle cyntaf i wneud hynny oedd noson y ddawns. Roedd Menna Bell, fy nghyfnither o Felindre, yn dod gyda fi, a fuon ni wrthi am sbel yn taclu a pharatoi yn y prynhawn cyn cychwyn i gwrdd â Geoff a'i bartner. Roedd hi'n noson hyfryd – digon o sbri a dawnsio nes bod ein traed ni'n gwingo – a phan ddaeth hi'n amser mynd sha thre, cynigiodd Geoff fynd â fi, gan fod car ei dad gydag e. Diolchais iddo a derbyn y cynnig – beth nag o'dd e wedi sylweddoli o'dd nag o'n i'n aros yn y *digs* yn Pwll y noson honno, ond bod Menna a fi'n mynd yr holl ffordd 'nôl i Felindre. Chware teg i Geoff, o'dd e'n ddigon hapus, gyda'i bartner, i fynd â'r ddwy ohonon ni adre.

Geoff a fi yn neuadd ddawns y Ritz yn Llanelli

Des i nabod y car bach yn dda iawn dros y misoedd nesaf. Bydde Geoff yn galw draw i 'ngweld i yn nhŷ Anti Em, ac roedd ganddo ffordd neilltuol o guro'r drws bob tro – 'rat taa taa tat tar tarrr' – a phan glywen i hwnna, byddwn i'n gwybod ei fod yn sefyll tu fas. Bydde Anti Em yn gweiddi lan ata i yn fy stafell: 'Ena, mae'r dyn insiwrans yn galw heddi 'to!' a bydden i'n rhedeg lawr i ateb y drws iddo. Roedd Geoff yn cael benthyg y car 'da 'i dad yn rheolaidd, ac roedd y ddau ohonon ni wrth ein bodd yn mynd am dro ar hyd y wlad. Un diwrnod, fe gasglodd Geoff fi o'r gwaith, a bant â ni am sbin. Benderfynon ni droi oddi ar y ffordd fawr ar hyd lôn fach wledig, a chan ei bod hi'n noson braf, er iddi fwrw tipyn yn ystod y dydd, fe barcon ni'r car am sbel mas o'r golwg i ni gael sgwrs fach, ys gwedwn ni. Pan ddaeth hi'n bryd ailgychwyn yr injan, yn anffodus, roedd glaw'r prynhawn wedi gwneud ei waith, ac roedd ochr y lôn yn ffos fwdlyd, a'r mwyaf y byddai Geoff yn refio'r car, y mwyaf sownd oedd e'n mynd yn y mwd. Yn y pen draw roedd rhaid rhoi'r gore iddi, achos nag o'dd y car yn symud dim – ymlaen nac yn ôl. Roedd rhaid cael help, felly gerddes draw i'r fferm agosaf, lle'r oedd ffermwr o'n i'n 'i nabod yn byw, i ofyn iddo ddefnyddio'i dractor i'n tynnu ni mas. Roedd y car yn fwd i gyd, wrth gwrs, a Geoff yn becso braidd beth fyddai ei dad yn ei ddweud wrth weld shwt stecs. Ond pan gyrhaeddodd e adre, y cyfan wnaeth ei dad pan welodd e'r car ac wyneb petrus Geoff oedd chwerthin. Roedd e'n gwybod y cyfan am yr hanes yn barod; roedd y ffermwr yn digwydd bod yn un o'i gwsmeriaid ffyddlon ar ei rownd fara, ac roedd e wedi bod ar y ffôn i roi'r stori i gyd pan welodd e taw mab Dai Buns o'dd sboner Ena yn y car mwdlyd. Chafon ni ddim anghofio'r digwyddiad hwnnw, a chafodd Geoff dynnu'i goes am flynydde.

Roedd Geoff a fi'n cael hwyl o'r dechre. Yn fuan ar ôl i ni ddod i nabod ein gilydd, penderfynais i chware tric arno, ac anfon parsel ato drwy wasanaeth post mewnol yr ysbyty wedi'i gyfeirio at 'The Electrical Engineer G. Thomas, Llanelli General Hospitals Group'. Ar y parsel ysgrifennais i'r geiriau 'Special Urgent Medical Equipment'. Ar y pryd, roedd Geoff yn disgwyl darnau sbâr ar gyfer rhyw beiriant roedd yn gweithio arno i Dr Wells, y patholegydd. Felly pan dderbyniodd y parsel, aeth yn syth i'r labordy i wneud y gwaith, ac agor y pecyn o flaen y doctor. Dychmygwch ei embaras pan welodd y ddau ohonyn nhw beth oedd ynddo: gwastraff llysie drewllyd o'n i wedi'i dynnu o fin cegin Cilymaenllwyd, ynghyd â nodyn yn dweud 'From – GUESS WHO!!' Wrth gwrs, fe sylweddolodd e'n glou taw fi oedd wedi hala'r pecyn, gan ein bod ni wastad yn chware triciau ar ein gilydd, a diolch byth, fe welodd Dr Wells ochr ddoniol y peth hefyd.

Wrth lwc, wnaeth y llysie drewllyd ddim newid meddwl Geoff amdana i, ac roedden ni'n gweld ein gilydd yn reit reolaidd. Un noson, roedd e am i fi fynd gydag e i rywle, ond bu'n rhaid i fi ddweud 'mod i'n ffaelu. Roedd John fy mrawd yn anhwylus, ac wedi gorffod mynd i Ysbyty Treforys, ac o'n i wedi trefnu i fynd i'w weld e ar y bws. Cynigiodd Geoff lifft i fi, ond druan, sai'n credu 'i fod e wedi sylweddoli beth oedd o'i flaen e. Wrth i ni gerdded drwy'r twnnel at fynedfa'r ward, roedd nifer o bobl yn aros y tu allan iddi agor, ac erbyn i ni gyrraedd atyn nhw, gwelais i taw fy nheulu i oedden nhw i gyd – Mam-gu, Anti Olive a'i gŵr, fy chwaer Nancy a 'mrawd Tegfan, a Mam a 'Nhad, i gyd yn aros yn eiddgar i gwrdd â'r sboner newydd. Chafodd John druan fawr o sylw'r diwrnod hwnnw. Roedd pawb â gormod o ddiddordeb yn Geoff – bedydd tân iddo fe os buodd un erioed.

Ond yn lwcus ddigon, roedd pawb yn dwlu ar Geoff – shwt allen nhw beidio? Roedd e'n werth ei weld yn un peth, dyn tal â gwallt du llawn cwrls, ac yn fachan smart. Ac er nad o'dd e'n siarad Cymraeg, a 'Nhad prin yn siarad mwy nag ychydig eiriau o Saesneg, roedd y ddau'n dod ymlaen yn dda iawn 'da'i gilydd o'r dechre.

Geoff a fi mewn noson ddawns yn 1958

Yn Llanelli y cafodd Geoff ei fagu, a'i deulu'n rhedeg becws Walters Road. Roedd ei dad wedi gweithio yn y busnes gyda'i frodyr ers pan oedd e'n fachgen. Roedd yn un o fusnesau mawr y dref, ac roedd yr oriau'n hir – byddai ei dad yn gweithio o saith y bore tan naw y nos. Do'dd dim rhyfedd felly, erbyn i Geoff droi'n ddeg oed, fod digon o alw am ei help. Bob dydd ar ôl ysgol, cyn gwneud ei waith cartref, bydde fe'n sleisio ac yn pacio cannoedd o dorthau o fara, ac yn aml iawn byddai'n dal wrthi am naw y nos. Ond er yr holl amser roedd e'n ei dreulio yn y busnes, ei brif ddiddordeb oedd pethe trydanol, ac fe adeiladodd nifer o setiau radio dwy falf ei hun. Ei freuddwyd oedd cael siop trwsio radios, ond doedd hynny ddim yn plesio'i dad. Ac yntau'n unig fab, roedd disgwyl iddo fynd i weithio yn y busnes, a chymryd cyfrifoldeb am ochr y bwydydd melys. Y cynllun oedd iddo fynd i astudio yn y coleg arlwyo yng Nghaerdydd. Ond pan adawodd e'r ysgol, awgrymodd ei dad y dyle fe roi help llaw

Siop teulu tad Geoff yn Llanelli –
'Thomas' Bakers of Distinction'

i'w fam-gu redeg siop fara'r teulu drws nesaf i'r becws, i ddysgu sgiliau busnes cyn mynd i ddechre'r cwrs. Roedd cynlluniau mawr gan Geoff i ddatblygu'r siop, ac i gyflwyno pob math o syniadau newydd modern, fel gosod arwydd mawr yn dweud: 'Eat Thomas's Bread for Energy and Vitality, by the Bakers of Quality and Distinction'. Doedd ei fam-gu ddim wir yn hoffi'r ffordd yr oedd e am aildrefnu cynnyrch y siop a'i arddangos yn wahanol, ond roedd cynllun yr arwydd mawr yma gam yn rhy bell iddi hi, a gwrthododd yn fflat. Dyna pryd y sylweddolodd Geoff, er gwaethaf ei frwdfrydedd, nad oedd gyrfa mewn busnes yn mynd i'w siwtio mewn gwirionedd, felly 'nôl ag e i'w ddiddordeb cyntaf, sef adeiladu a thrwsio offer trydanol. Aeth i astudio i fod yn beiriannydd trydanol, a dyna fuodd e wedyn drwy ei yrfa, heb ddifaru eiliad na gweld colli'r bara brith a'r *Chelsea buns*. Ac wrth gwrs, tase fe 'di aros yn y busnes, fydde fe a fi ddim wedi cwrdd, felly diolch byth fod ei fam-gu wedi gwrthod y syniadau modern.

Roedd tad Geoff yn dwlu arna i am ddau reswm – o'n i'n Gymraes Gymraeg, a hefyd wrth gwrs yn cwcan, mor syml â hynny. Doedd ei fam e ddim mor hapus i weld Geoff a fi'n dod at ein gilydd. Saesnes o Wlad yr Haf oedd hi'n wreiddiol, ac er bod teulu ei gŵr i gyd yn Gymry, ddysgodd hi ddim Cymraeg, a Saesneg oedd iaith y cartref. Roedd gan ei theulu dipyn o feddwl ohonyn nhw' u hunain, felly doedd gweld Geoff yn mynd mas 'da merch i goliar o Felindre ddim wir yn gwneud y tro. Rwy'n credu 'i bod hi wedi gobeithio am

Geoff yn 18 mis oed gyda'i dad, David 'Dai' Thomas

rywbeth gwell i'w hunig fab. Ond chware teg, pan sylweddolodd fod Geoff a fi'n seriws am ein gilydd, fe ddaeth hi i dderbyn pethe, a gweld nad oedd pwynt dadlau 'dag e.

Ar ôl bod yn gweithio yng Nghilymaenllwyd am ryw dri mis, o'n i wedi sefydlu trefn yn y gegin, ac roedd y cyfan yn rhwydd iawn ac yn gweithio fel watsh. Falle, gan 'mod i wedi arfer â rhedeg cegin dipyn yn fwy o faint, 'mod i'n dechre gweld y cyfan ychydig yn hawdd, ond yn sicr o'n i'n edrych am bethau eraill i'w gwneud, a mwy o bethe i lenwi fy amser. Glywes i fod y Cyngor yn chwilio am bobl i redeg cyrsiau coginio yn y gymuned, ac roedd gen i ddiddordeb yn hynny. Wedi'r cyfan, o'n i wedi gwneud cwrs cymwysterau dysgu yn Llundain. Unwaith eto, roedd cyfle'n galw, ac fe wnes i ymholiadau. Ymhen ychydig, yn ogystal â'r gwaith yng Nghilymaenllwyd, dechreuais i roi gwersi coginio yng Nghanolfan Gymunedol Llwynhendy, yr ochr draw i dref Llanelli. Roedd galw mawr am y

Priodas Ivy a David, rhieni Geoff, yn 1931

dosbarthiadau, felly dwy noson ac un prynhawn yr wythnos, bydden i'n mynd draw i ddysgu pobl Llwynhendy a Bynea am brydau bwyd maethlon, a phob math o ddanteithion eraill. Roedden nhw am ddysgu popeth oedd ei eisiau i fwydo teulu. Bryd hynny, pasteiod, bara, teisennau a phethe fel 'na yr oedd pawb eu heisiau, a doedd dim sôn am bethe fel pasta a reis – heblaw mewn pwdin reis.

Pan ddechreues i ar y gwaith, feddylies i ddim y bydde'r teithio i ochr draw Llanelli yn mynd ymlaen am flynydde wrth i fwy a mwy o bobl ddewis dod i'r gwersi. Cyn bo hir, roedd dosbarth o bobl ifanc yna hefyd – y clwb ieuenctid. A dyna chi sbort oedd i'w chael gyda nhw. Ar ôl cynnal y dosbarthiadau am sbel, penderfynon ni fod angen i bawb weld canlyniadau'r gwersi, felly fe ddechreuon ni gynnal arddangosfa flynyddol. Roedd y rhain yn werth eu gweld, ac yn gredit i bobl Llwynhendy. Bydde pobl yn dod o bell i weld beth oedd aelode eu teuluoedd wedi bod yn ei wneud. Fe ddysges i lot fawr o bobl i wneud *sponges* a *casseroles* dros y blynydde, ond wrth gwrs, wrth 'mod i'n eu dysgu, o'n inne'n dysgu llawer wrthyn nhw. Nid proses un ffordd yw dysgu – so'r athro neu'r athrawes yn gwybod yr atebion i gyd, ac mae'n rhaid bod yn barod i addasu'ch syniadau a derbyn gwybodaeth gan eich disgyblion hefyd. Mae'r athro sy'n meddwl ei fod yn gwybod y cyfan yn ddi-glem mewn gwirionedd.

Chwe mis ar ôl i ni gwrdd, gofynnodd Geoff i fi ei briodi. Doedd dim rhaid i fi feddwl lot cyn ateb – wrth gwrs y gwnelen i. Roedden ni'n hapus iawn, ac yn gwbl siŵr o'n gilydd, felly penderfynon ni nad oedd pwrpas oedi, a phennu dyddiad yn go glou. Roedd tipyn i'w wneud cyn y diwrnod mawr, ac un o'r pethe pwysicaf oedd dod o hyd i rywle i fyw. Dechreuon ni chwilio am gartref, a darllen yn y *Llanelli Star* bod ocsiwn tai i'w gynnal yn adeilad y YMCA. Gethon ni fwy o fanylion, a gweld bod tŷ bach digon addas ar werth – 34 Coronation Road, Llanelli. Ethon ni i gael golwg ar y lle, ac er 'i fod e'n ddigon anniben, a lot o waith i'w wneud, penderfynon ni roi'n arian 'da'i gilydd a mynd amdano. Nag o'n i wedi bod mewn ocsiwn o'r blaen, felly do'n i ddim yn rhy siŵr beth i'w ddisgwyl, ond roedd Geoff i'w weld yn ddigon hyderus – i fi, ta beth. Ar ôl eistedd drwy sawl lot arall, o'n i'n gweld bod ein tŷ ni – fel 'na o'n i'n meddwl amdano yn barod – ar fin dod lan. Wna i ddim gwadu nag o'n i'n teimlo cyffro pan glywes i'r ocsiwnïar yn gofyn a oedd rhywun am gynnig £800. Cododd Geoff ei law, ond bu'n rhaid aros nes ei fod yn £1,000 cyn i'r morthwyl ddisgyn a chael cadarnhad mai ni o'dd perchnogion newydd y tŷ yn Coronation Road, tŷ cornel oedd yn agos iawn i gartre teulu Geoff yn Walters Road.

A dyna gychwyn ar waith caled. Cyn gallu gwneud dim byd arall, roedd rhaid i ni gael *fumigators* draw i lanhau'r tŷ o'r top i'r gwaelod. Ond unwaith roedd hwnna wedi'i wneud, wrth lwc, roedd y sgiliau 'da'r ddau ohonon ni i wneud beth oedd ei angen, ac aeth Geoff ati heb fradu unrhyw amser i ailweirio'r lle cyn gosod cegin a bathrwm newydd. Yn y cyfamser, o'n i wrthi ffwl pelt yn gwneud cyrtens i bob ystafell ac yn peintio'r waliau i gyd. Hefyd, dechreuon ni dalu swm i siop garpedi bob wythnos er mwyn cael carped deche ar y staer cyn i ni symud i mewn.

Ar yr un pryd, wrth gwrs, roedd rhaid trefnu'r briodas. O'n i wedi dechre mynd gyda theulu Geoff i Eglwys St Alban's yn Llanelli ar y Sul, ac er taw merch capel o'n i, erbyn ei bod yn amser penderfynu ble i gynnal y gwasanaeth, roedd yn naturiol i fi droi at yr eglwys. Ar y pryd,

Eglwys St Alban's, Llanelli

doedd dim gweinidog yn Felindre, felly doedd dim yn fy nhynnu at y capel lle ces i fy magu. Es i siarad â 'Nhad am y peth, a gofyn ei gyngor e. Ei ateb ar ei ben oedd gan 'mod i wedi bod yn mynd i'r eglwys yn Llanelli ers chwe mis, man a man i fi briodi yno, gan taw i fanno y bydden i'n mynd i addoli ar ôl setlo yn y tŷ newydd.

Doedd gen i ddim syniad pa fath o ffrog briodas o'n i am ei chael. Roedd ffasiynau'r pumdegau'n fy siwtio i'n reit dda, felly roedd digon o ddewis, ac o'n i'n disgwyl 'mlaen at gael trio'r gwahanol steils a gweld beth fydde'n gweddu. Aeth Mam, Nancy a fi i Abertawe i chwilio, a wir i chi, ffeindion ni ffrog ar y sêl yn Walter Road – *lamé* aur, *stylish* dros ben. Nancy oedd y forwyn briodas, a chafodd hi ffrog binc golau gyda blodau nefi. O'dd *page boy* 'da ni hefyd, cefnder bach i Geoff.

Daeth y diwrnod mawr, a'r briodas yn Eglwys St Alban's, ac wedyn *reception* yng Ngwesty Stepney (lle mae cwmni teledu Tinopolis yng nghanol Llanelli heddiw) gydag wyth deg o westeion; tylwyth o bob ochr a ffrindie mewn siwtiau *tails* du a gwyn. Roedd y deisen yn werth ei gweld – wel, roedd rhaid i fab y pobydd gael

Geoff a fi ar ddiwrnod ein priodas

teisen briodas dda, on'd o'dd? Ond am unwaith, nage o Thomas's oedd hon; roedd tad Geoff wedi trefnu i un o'i ffrindie 'i gwneud hi. Ar ôl y briodas, bant â ni i Bournemouth am wythnos, yng nghar tad Geoff, yr un y ces i'r lifft cynta 'na ganddo 'nôl o'r parti yng Nghilymaenllwyd pan ddechreuon ni garu.

Roedd bod yn briod yn newid byd mawr – fel mae e i unrhyw bâr ifanc – ond setlodd bywyd i batrwm eitha hwylus. Fel oedd y drefn bryd hynny, fe roies i'r gorau i'r swydd yng Nghilymaenllwyd pan briodes i, er i fi barhau â'r gwersi yn Llwynhendy. Bydde tad Geoff yn galw heibio'r tŷ yn aml ar ei rownd fara, ac yn cael disgled o de a sgwrs, ynghyd â darn o fara brith wrth gwrs, a bydde fe'n dweud bob tro taw fy mara brith i oedd y gore iddo ei flasu erioed. Hefyd, gofynnodd i fi ei helpu gyda theisennau priodas i'w gwsmeriaid, ac o'n i wrth fy modd yn gwneud hynny. O fewn ychydig, o'n i'n disgwyl babi, ac roedd bywyd yn braf.

Ond mae'n amhosib gweld beth sydd o'n blaenau ni, ac roedd y cyfnod dedwydd yma o fywyd priodasol cynnar ar fin dod i ben. Chwe mis ar ôl i ni briodi, bu farw tad Geoff yn sydyn iawn, yn 58 oed. Roedd yn sioc fawr i'r teulu i gyd, ac mae'n deg dweud iddo newid cwrs ein bywyd ni. Unig blentyn oedd Geoff, ac felly roedd ei feddwl yn amlwg yn troi at beth fyddai orau i'w fam, Ivy, a hithau wedi colli ei gŵr. Er ei bod hi ond yn byw rownd y gornel i ni, doedd hi ddim yn un i fod ar ei phen ei hun, felly roedd rhaid trefnu rhywbeth. Unwaith eto, gyda'r holl sefyllfa'n

Ivy (ar y dde) a'i chwaer Rosie o flaen siop y teulu Hunt

pwyso'n drwm ar fy meddwl, troi at 'Nhad wnes i am gyngor. 'Ena fach,' medde fe ar ôl ystyried, 'Geoff yw'r unig blentyn. Beth alli di 'i wneud ond gofalu amdani? Os na ddaw hi atoch chi, bydd rhaid i chi symud i fyw ati hi.' A dyna fel buodd hi. Lai na blwyddyn ar ôl i ni briodi, o'n ni wedi symud o'r cartref bach roedd Geoff a fi wedi gweithio mor galed i'w greu i fyw gyda fy mam-yng-nghyfraith.

Roedd Mrs Thomas yn ferch i'r teulu Hunt, oedd yn enwog yn Llanelli am wneud dillad o ansawdd uchel. Roedd ganddyn nhw siop a gweithdai yn Murray Street, ond symudon nhw wedyn i John Street. Roedden nhw'n cynllunio ac yn gwnïo ffrogiau a dillad hardd eraill i gyfoethogion yr ardal. Bydde Ivy a'i chwiorydd yn gweithio oriau hir yn gwnïo miloedd o *beads* a *sequins* ar eu dillad ffasiynol, creadigol ar gyfer priodasau ac achlysuron mawreddog tebyg. Rosie, chwaer Ivy, oedd yn cynllunio'r dillad gan mwyaf, a bydde pobl yn teithio o bob rhan o Gymru i'w gweld a'u prynu nhw.

Do'dd dim dewis ar y pryd, ond heddiw, wrth edrych 'nôl, mae Geoff a fi'n cytuno taw symud o Coronation Road i Walters Road oedd y peth gwaethaf wnaethon ni. Falle bydde unrhyw ddwy fenyw'n ei chael hi'n anodd byw 'da'i gilydd dan yr amgylchiadau, ond yn bendant roedd gan Mrs Thomas a fi syniadau gwahanol am sut i wneud pethe. Pan symudes i'w thŷ hi, o'n i'n teimlo 'mod i ar brawf drwy'r amser, a hithau'n edrych yn feirniadol ar bopeth o'n i'n ei wneud. Erbyn hyn, wrth gwrs, rwy'n gallu gweld hefyd nad oedd pethe'n hawdd iddi hi. Roedd hi newydd golli ei gŵr, ac roedd gweld menyw arall yn dod i'r tŷ ac yn gwneud popeth yn wahanol yn siŵr o fod yn anodd. Hi oedd wedi dweud bod yn rhaid i fi roi'r gore i

Ivy, mam Geoff, yn fenyw ifanc

weithio yn yr ysbyty pan briodes i, gan taw edrych ar ôl Geoff oedd fy nyletswydd i nawr. Erbyn hyn, roedd hi'n edrych yn debyg bod yn rhaid i fi ofalu amdani hi hefyd. Ond dyna fe, roedd rhaid gwneud y gore o bethe. Symudodd Mrs Thomas i ystafell flaen y tŷ, a dyna lle buodd hi am y blynydde nesaf, yn llywodraethu'r cartref.

Ychydig fisoedd wedyn, ganwyd Huw David, ein mab cyntaf, ac ŵyr cyntaf dwy ochr y teulu, yng Nghartref Nyrsio Glasfryn, Llanelli, a dwy flynedd yn ddiweddarach, daeth Paul Islwyn i ymuno ag e. Roedd bywyd yn brysur iawn i fi felly, yn gofalu am y ddau grwt bach, ac yn gwneud popeth i gadw'r tŷ'n lân dan lygaid craff fy mam-yng-nghyfraith. Pedair ar hugain oed oeddwn i pan symudon ni i Walters Road, ac er ei bod hi falle'n swnio fel hen wraig, dim ond yng nghanol ei phumdegau oedd Ivy. Ond roedd hi fel 'se hi wedi penderfynu nag oedd hi am weithio rhagor, a'i bod yn disgwyl i fi ofalu am bopeth. Roedd hi'n ystyried ei hun yn dipyn o ledi.

Wrth i'r plant dyfu, un peth pwysig iawn i fi oedd mynd 'nôl i Felindre i weld y teulu. Bob wythnos, bydden i a'r bois yn mynd ar y bws o Lanelli i dref Gorseinon, ac yna ar fws arall i Felindre i'w gweld nhw. Dim ond unwaith yr wythnos oedd y bws yn mynd, ond os bydde Geoff ar gael bydden ni'n mynd fel teulu ar ddydd Sadwrn, ac yn mynd â Mam a 'Nhad am *run* yn y car. Erbyn hyn, roedd Nancy fy chwaer yn nyrsio yn Llanelli, ac yn byw'n agos iawn i ni. Bydde hi'n dod i'n gweld yn aml

Geoff a Huw

ac yn dwlu ar y bois. Roedd Huw fel dol iddi, ac roedd Nancy wrth ei bodd yn chware gydag e ac yn gofalu amdano.

Roedd yr hen beiriant gwnïo Singer, oedd wedi bod gyda fi yn Felindre a Llundain, wedi dod i Lanelli gyda fi hefyd. O'n i wrth fy modd yn cael y patrymau *Simplicity* diweddaraf i wneud dillad i fi a'r plant. O'dd y bois druan yn gorffod gwisgo ambell i beth eitha anarferol – pan fyddan nhw'n gweld y lluniau heddiw maen nhw'n ffaelu deall pam ar y ddaear o'n i'n eu gwisgo nhw fel 'na. Ond o'n i wedi cael fy nghodi yng nghanol y ganrif ddiwethaf, cyfnod '*make do and mend*', pan na fydden ni'n bradu dim. Es i ddosbarth i ddysgu sut i wneud hetiau unwaith. O'n i'n dwlu ar wisgo het – y mwyaf yr het, y mwyaf smart o'n i'n teimlo. A doedd dim yn well na mynd i'r farchnad yn Llanelli, neu i'r siop ddefnydd fach ger yr orsaf fysus yn Abertawe, a dewis defnydd a phatrwm i'w gweithio. Bryd hynny, roedd *crimplene* yn boblogaidd iawn, a wi'n cofio gwneud cot a ffrog mewn sgwariau oren a *fawn*; o'n i'n teimlo fel brenhines yn mynd i'r cwrdd dydd Sul, a het i fatsho. Bydde mam Geoff yn dwlu gweld y patrymau a'r deunyddiau i gyd hefyd, ac rwy'n credu taw'r diddordeb hwn mewn gwnïo a dillad a ddaeth â ni at ein gilydd yn y diwedd. Dyma sut y daethon ni i ddeall ein gilydd, er ein bod ni'n gwbl wahanol mewn shwd gymaint o ffyrdd. Roedd hi'n mwynhau bod 'nôl yng nghanol ei chrefft, ac o'n inne yn fy nhro yn gwerthfawrogi ei chyngor a'i phrofiad hi.

Huw a Paul yn bump ac yn dair oed yn 1965

Mae'n siŵr taw un o'r pethe anoddaf am fyw gyda fy mam-yng-nghyfraith oedd nag o'dd hi'n gallu siarad Cymraeg. Wrth gwrs, do'dd Geoff ddim yn gallu'r iaith – a dyw e ddim hyd heddiw – ond Cymraes o'n i o gopa fy mhen i fodiau fy nhraed. Yn naturiol felly, pan ddaeth y bois, Cymraeg fydden i'n 'i siarad â nhw. Ond siwrne y dywedwn i rywbeth wrthyn nhw, bydde 'Nana' yn dweud yr un peth yn Saesneg. Doedd ganddi ddim amser i'r Gymraeg, a doedd hi ddim yn gweld pam oedd neb yn ffwdanu i'w siarad.

Pan ddaeth hi'n amser mynd i'r ysgol, o'n i'n reit siŵr taw i'r ysgol Gymraeg y dylen nhw fynd, ond ches i ddim dewis. Nid fi oedd yn cael dweud, ac addysg Saesneg gafodd y bois. Dim ond Cymraeg oedd Huw yn 'i siarad nes 'i fod e'n bedair oed, ond ymhen amser, roedd yn rhaid i fi ildio. Doedd hi ddim yn hawdd byw gyda menyw mor gryf, ac o'n i'n ifanc. Rwy'n meddwl weithie tybed fydde hi wedi bod yn well tasen i wedi sefyll lan iddi hi fwy, ond nid dyna fy natur i. Rwy wastad wedi bod yn un sy'n hoffi bywyd tawel – mae'n gas 'da fi wrthdaro – ac roedd cael cartref hapus yn bwysicach i fi na dim. Ymhen amser, daeth siarad Saesneg 'da'r meibion i deimlo'n naturiol.

Ar ôl priodi yn Eglwys St Alban's, o'n i'n teimlo'n rhan o'r gymuned yno, ac ymhen amser, penderfynais i ymuno â'r Eglwys. Wrth drafod hyn 'da'r ficer, esboniais i nad oedd y penderfyniad i symud o'r capel yn un anodd o gwbl. Pa bynnag wersi oedd ganddo i fi cyn fy nerbyn yn aelod, yr un rhai ag y bydden i'n eu cael yn y

Huw a Paul yn y côr yn 1971

capel oedden nhw. O'n i'n credu bryd hynny – ac rwy'n dal i gredu'r un mor gryf heddiw – taw un Duw sydd 'da ni, un Iesu Grist, ac mai'r un peth yw ef pa bynnag eglwys yr ewch iddi i gyrraedd ato. Mae'r Deg Gorchymyn yn sail ragorol i'n bywydau. Os gallwn ni fyw yn ôl y rheini, awn ni ddim yn bell o'n lle, a bydd bywyd yn weddol o iachus. Roedd hynna'n bendant yn help wrth ymdopi â byw gyda fy mam-yng-nghyfraith!

Mae'r eglwys wedi bod yn bwysig iawn i'n bywyd ni i gyd fel teulu. Wrth i'r bechgyn dyfu, bydden ni'n mynd deirgwaith bob Sul: i wasanaeth y bore, i'r ysgol Sul ac i'r gwasanaeth hwyr. Roedd ysgol Sul o bron i dri chant o blant yn Eglwys St Alban's ar y pryd, ac o'n i'n athrawes yno, yn cael sbort a bendith wrth ddysgu'r plant bob wythnos. Pan oedd Huw yn chwech a Paul yn bedair, ymunodd y ddau â'r côr, ac yna pan oedd tua saith mlwydd oed, dechreuodd Paul ddysgu'r organ, a chael gwersi gan athrawes wych o'r enw Mattie Bateman Morris. Mae cerddoriaeth yn y teulu. Er 'mod i'n methu chware unrhyw offeryn, roedd Mam yn chware'r piano a'r organ, ac roedd modryb Geoff yn organydd yn Eglwys All Saints yn Llanelli. Un bach iawn oedd Paul ar y pryd – do'dd 'i draed e ddim hyd yn oed yn cyrraedd y pedalau – ond roedd e wrth ei fodd.

Ar ôl i dad Geoff farw, buodd wncwl iddo, a oedd yn byw drws nesaf i ni, yn rhedeg y becws 'da'i frawd yntau. Ond doedd dim diddordeb gan y genhedlaeth nesaf yn y busnes, felly yn y pen draw, gwerthon nhw fe i gwmni Wonderloaf.

Bymtheg mlynedd ar ôl symud o Coronation Road i Walters Road, daeth newid byd eto. Erbyn hyn, roedd gwaith Geoff yn golygu bod yn rhaid iddo deithio ar hyd a lled Dyfed, felly gwnaethon ni'r penderfyniad mawr nesaf – gadael Llanelli, a dod i Langynnwr, ar gyrion Caerfyrddin.

❧

Blynydde cynnar Llangynnwr

O'n i wedi arfer â symud tipyn yn ystod fy mywyd – roedd codi pac a'i mentro hi i Lundain yn dipyn o gam yn ferch ifanc, ac ymhen amser, roedd dod 'nôl i fyw yng nghartre 'mhlentyndod yn dipyn o newid hefyd. Wedi ymgartrefu yn Llanelli, magu'r plant yno, gweithio yn yr ardal a mwynhau pob agwedd ar fywyd yr eglwys a'r cyfeillion da oedd gen i yn y dref, roedd meddwl am symud i ffwrdd yn anodd a dweud y lleiaf.

Ond roedd gwaith Geoff yn mynd ag e oddi cartref fwy a mwy. Peiriannydd trydanol oedd e, ac ar ôl gweithio o gwmpas ardal Llanelli am flynydde, cafodd swydd gyda Chyngor Sir Dyfed oedd yn golygu y bydde fe'n gorffod teithio i bob man rhwng Aberystwyth a Hwlffordd yn rheolaidd, ardal eang iawn. Roedd hi'n gwneud synnwyr felly i ni symud i Gaerfyrddin, oedd yn fwy canolog. Roedd cysylltiadau teuluol gen i â'r dref – un o Gaerfyrddin oedd

'Daeth y badell yn rhydd o'r handlen, a hedfan lan a tharo'r nenfwd, a 'ngadel i'n sefyll fel delw a'r handlen yn dal yn fy llaw!'

Mam-gu, mam fy nhad – er nag o'dd dim o'r tylwyth yn dal i fyw 'na pan symudon ni yn 1976. Ond o'n i wastad wedi bod yn hoff o'r dref, ac wedi'r cyfan, do'dd hi ddim yn rhy bell o Lanelli. Serch hynny, bydde teithio'n ôl ac ymlaen i Lwynhendy sawl gwaith yr wythnos wedi bod yn ormod, felly bu'n rhaid i fi roi'r gore i'r gwersi.

Buon ni'n edrych o gwmpas am rywle i fyw, a chymerodd hi ddim yn hir i ni ffeindio byngalo braf ar gyrion Caerfyrddin, yn Llangynnwr, ar stad newydd dawel, a golygfa hyfryd dros y dref o'r ystafell fyw. Ond do'n i ddim yn yr ystafell honno'n aml iawn – fy hoff le i yn y cartref bryd hynny, a heddiw, yw'r gegin. Gyda golygfa i lawr Dyffryn Tywi o'r ffenest, alla i ddim â dechre dyfalu sawl awr wi 'di 'u treulio yn y gegin fach yn coginio ac yn arbrofi gyda ryseitie, heb sôn am fwynhau coginio'r hen ffefrynnau. 'Sdim amheuaeth 'da fi taw'r gegin yw calon y cartref. Mae bob amser yn gynnes, mae croeso yna, a gwynt hyfryd yn dod o'r ffwrn. Yn y gegin, mae amser am sgwrs wrth i chi rolio'r crwst neu guro'r wyau. Cofiwch, so 'nghegin i'n un fawr iawn – 'sdim angen lot fawr o le arnoch chi – ond mae wedi'i chynllunio'n berffaith. Dros y blynydde wi wedi dod o hyd i le priodol i bopeth, a phan fydda i'n sefyll o flaen y ffwrn, gan wybod bod popeth o fewn cyrraedd rhwydd, does dim teimlad brafiach yn y byd. Sai'n gwybod faint o bobl sydd wedi bwyta yn y gegin yma dros y degawdau, ond mae'r cymdogion wastad wedi bod yn *guinea pigs* bodlon iawn – yn barod i drio'r ryseitie newydd wrth i fi arbrofi, a rhoi eu barn yn onest.

Y byngalo symudon ni iddo yn 1976, ac sy'n dal yn gartref i fi a Geoff

Roedd Huw a Paul yn eu harddegau erbyn hyn, a dechreuodd y ddau yn Ysgol Ramadeg y Frenhines Elizabeth. Felly, roedd pob cyfle i ni i gyd ymgartrefu'n rhwydd yn y tŷ newydd sbon, a dechre bywyd newydd. Ond am y tro cyntaf yn fy mywyd, ges i 'nharo gan hiraeth ofnadwy. 'Sdim lot mwy na phymtheg milltir rhwng Caerfyrddin a Llanelli, ond gallech chi feddwl bo' ni wedi symud i fyw ar y lleuad. O'n i ddim yn nabod neb yng Nghaerfyrddin, ac wi wastad wedi bod yn un sy'n hoffi cwmni a bod yng nghanol pobl. 'Da Geoff yn y gwaith a'r bois yn yr ysgol, roedd y diwrnod yn hir i fi. Ddechreues i freuddwydio am symud yn ôl i Lanelli, a hyd yn oed meddwl a chynllunio sut y bydden ni'n shiffto gyda Geoff a'i waith, ac ystyried o ddifrif roi'r tŷ 'nôl ar y farchnad. Ond o dipyn i beth, dechreuodd pethe wella.

Roedd yr eglwys wedi bod yn bwysig iawn i fi yn Llanelli – o'n i wrth fy modd yn athrawes ysgol Sul yn y gymuned fywiog a phrysur yn St Alban's. Roedd Paul wedi dod yn ei flaen yn ardderchog

Eglwys St Peter's, Caerfyrddin

gyda'r gwersi organ, felly roedd rhaid dod o hyd i rywun i barhau â nhw. Dyna sut dethon ni i Eglwys St Peter's yn y dref. Gerwyn Thomas oedd yr organydd, a gyda'i ofal a'i wersi fe, daliodd Paul i ddatblygu. Yn y pen draw, daeth yn ddirprwy organydd yr eglwys, cyn ennill ysgoloriaeth organ York Minster i astudio Cerddoriaeth ym Mhrifysgol Caerefrog. Roedd yr eglwys felly yn noddfa i fi, fel yn Llanelli, ond ar y dechre o leiaf, do'n i ddim yng nghanol berw'r gweithgareddau fel o'r blaen.

Un noson daeth Geoff adre o'i waith a 'ngweld i'n edrych yn ddiflas, a dyma fe'n gofyn rhywbeth ddyle fod wedi bod yn amlwg i fi – pam nad elen i chwilio am jobyn? Dyna lygedyn o oleuni'n ymddangos, ond ble ddylwn i fynd? Maen nhw'n dweud y dylech chi ddechre wrth eich traed, ond yn yr achos yma, dechre wrth 'y mhen wnes i, a chymryd swydd *receptionist* yn siop drin gwallt Ashley Jones, lle'r o'n i'n gwsmer ffyddlon. Chi'n gweld pawb yn y siop drin gwallt – ac yn 'u gweld nhw fel ma'n nhw go iawn. 'Sneb yn gallu bod yn snoben pan fydd tywel rownd 'i gwddw a chyrlers yn 'i gwallt.

Fe lwyddodd y jobyn yma i 'nghael i mas o'r tŷ a dod i nabod pobl y cylch, ac oherwydd hynny, dechreuais i deimlo'n well. Ar ôl chwe mis, roedd gen i ddigon o hyder i fynd i weld Owen Picton, warden yn y Ganolfan Gymunedol. Fe oedd yn rhedeg y gwasanaeth addysg i oedolion, a dyma fi'n esbonio wrtho fy mhrofiad o ddysgu, gan ddweud 'mod i'n awyddus i ailddechrau os bydde cyfle'n codi. O'n i'n amlwg wedi mynd i holi'r dyn iawn ar yr adeg iawn, oherwydd wir i chi, o fewn ychydig iawn o amser, ffoniodd Owen Picton a dweud bod swydd ar gael. Roedd hi yno i fi os o'n i am 'i chymryd hi – yn rhoi gwersi cwcan yn y ganolfan addysg bellach yng nghanol tref Caerfyrddin, ddim yn bell o faes parcio eglwys St Peter's.

Wel, dyna ni. Anghofies i bopeth am symud 'nôl i Lanelli – do'dd dim edrych 'nôl i fod nawr.

Ddechreues i 'dag un dosbarth i oedolion, ond pan welodd pobl

beth oedd ar gael, roedd mwy a mwy yn cofrestru. O fewn ychydig, roedd gen i ddosbarthiadau dydd Llun, dydd Mercher a dydd Gwener yn rhedeg rhwng naw y bore a hanner dydd. Ar ddydd Gwener, roedd dosbarth o ddynion 'da fi. Dynion proffesiynol wedi ymddeol oedd y rhan fwyaf, yn awyddus i ddysgu sgìl newydd a gwybod sut i ofalu amdanyn nhw eu hunain. Sai'n gwybod os taw achos mai dydd Gwener oedd hi, a'r wythnos yn dod i ben, ond roedd yr hwyl o'dd i gael 'da'r bois hyn yn rhywbeth i'w ryfeddu. Roedden nhw'n cymryd y gwersi o ddifri, ond y sŵn mwyaf i'w glywed o'r dosbarth oedd chwerthin.
Y drefn oedd y byddwn i'n eu dysgu nhw un wythnos, ac yn dangos sut i goginio'r bwyd, ac wedyn yr wythnos ddilynol bydden nhw'n dod â'u cynhwysion eu hunain ac yn coginio yn y dosbarth. Un wythnos, roedd hi siŵr o fod tua mis Chwefror, gyda Dydd Mawrth Ynyd ar y gorwel, benderfynon ni taw pancos y bydden ni'n eu coginio. Aeth popeth yn iawn – paratoi'r cytew'n ofalus, ac wedyn symud at y ffwrn. Wrth gwrs, ro'n i wedi coginio cannoedd os nad miloedd o bancos yn fy nydd, felly o'n i'n ffyddiog y gallen i eu twlu'n deidi. Bant â ni, y bancosen yn brownio'n bert, a dyma fi'n rhoi fflic i'w throi hi. Os do fe! Daeth y badell yn rhydd o'r handlen, a hedfan lan a tharo'r nenfwd, a 'ngadel i'n sefyll fel delw a'r handlen yn dal yn fy llaw! Gallwch chi ddychmygu nag o'dd lot o drefn ar y dosbarth wedyn, a phawb yn 'u dwblau'n chwerthin ar yr athrawes druan yng nghanol y llanast. Cofiwch chi, o'n i'n meddwl wedyn, tybed nag oedd un o'r *wags* yn y dosbarth wedi cael gafael ar y badell o flaen llaw a llacio'r sgriw oedd yn dal yr handlen – ches i erioed wybod, ond wi'n eitha siŵr fod y wynebau diniwed yn y dosbarth yn cuddio rhywbeth.

Roedd cymeriadau yn y dosbarthiadau i gyd, ac roedd elfen gymdeithasol bwysig iawn i'r gwersi. Pan gewch chi bobl mewn dosbarth yn gweithio gyda'u dwylo, mae'n creu naws ddiogel a chyfeillgar, ac roedd pobl yn aml yn mwynhau sgwrsio am bob math o bethe. Roedd amrywiaeth fawr yn dod, llawer o fenywod, wrth gwrs, ond ar ôl ychydig, ges i ddosbarth ieuenctid hefyd, disgyblion oedd yn gwneud y cwrs yn rhan o Wobr Dug Caeredin. Ymhen amser, roedd gen i ddosbarth arall o bobl a oedd ar brofiannaeth – *probation* – a do'dd dim dal pwy fydde'n dod i hwn. Roedd bob amser yn ddosbarth diddorol, a bydden i'n mwynhau rhoi amser i siarad a thrafod gyda nhw yn awyrgylch y gegin. Mae un neu ddau o'r cymeriadau hyn wedi aros yn fy meddwl. Roedd un bachan wedi cael ei ddal yn dwgyd wyau adar. Do'dd dim rheswm yn y byd am hyn – jest cael cic mas o'r peth oedd e. Meddyliwch. Wedyn roedd 'na fenyw ifanc smart â stori dipyn mwy trist. Gwraig i reolwr banc oedd hi, ond cafodd ei dal yn dwyn o siop. Bues i'n siarad yn hir 'da hi, yn ceisio deall pam fod menyw o'i statws hi yn gwneud shwd beth. Y gwir oedd ei bod hi'n teimlo nad oedd dewis ganddi. Falle'i bod hi'n edrych yn gyfforddus ei byd, ond roedd ei gŵr yn ei chadw'n brin o arian, ac felly roedd yn rhaid iddi wneud rhywbeth. Wel, roedd hwnna'n agoriad llygad. 'Sdim syniad 'da ni beth sy'n mynd ymlaen ym mywydau pobl eraill; mae'n ddigon hawdd beirniadu a gweld bai, ond mae angen deall hefyd. Roedd cwrs y dosbarthiadau *probation* yn para am flwyddyn ar y tro, ac roedd creu'r berthynas â nhw'n bwysig i fi. Licen i gredu 'mod i wedi cael rhywfaint o ddylanwad ar rai o'r bobl oedd yn dod – yn wir, roedd Bronwen Wilkins, y Swyddog Prawf, yn dweud 'mod i'n cael mwy mas ohonyn nhw nag oedd hi yn aml iawn. O'n i'n eu dysgu nhw am fwyd, ond o'n i hefyd yn rhannu profiad bywyd gyda nhw, ac yn dysgu'n ôl ganddyn nhw hefyd. Mae pobl yn rhy barod i gondemnio weithiau. Deall sydd ei angen.

Wrth i fi ddechre ymgartrefu'n iawn yng Nghaerfyrddin, dechreues i daflu'n hunan i fywyd yr eglwys unwaith eto. Ces i ddosbarth ysgol Sul – 30 o blant – ac o'n i wrth fy modd yn trafod straeon y Beibl ac yn gwneud pob math o grefftau gyda nhw. Kerry Goulstone o Lanelli oedd y ficer erbyn hynny. O'n i'n nabod ei rieni a'i fodryb o St Alban's, felly o'n i'n gartrefol iawn yn ei gwmni. Roedd e'n ficer gwych, yn llawn bywyd ac yn gweithio'n galed. Pan fydd rhywun fel 'na'n arwain, mae'n ysbrydoli pobl, ac roedd pawb yn hapus iawn i gyfrannu at fywyd yr eglwys. Un o'r digwyddiade pwysig bob blwyddyn oedd yr ŵyl flodau. O'n i wrth fy modd 'da honno, ac roedd y paratoadau bob amser yn sbri. Un flwyddyn, wi'n cofio mynd yr holl ffordd i Lundain ar y trên i helpu'r paratoadau. Ar y pryd, roedd gan John, fy mrawd, siop flodau yn Baker Street o'r enw Daniel John, ac wrth gwrs roedd e'n gwybod yn iawn sut i gael gafael ar y *blooms* gorau. Bant â ni felly i Covent Garden am dri o'r gloch y bore i weld beth oedd ar gael y diwrnod hwnnw. Wel dyna chi le! Roedd hi fel ganol dydd yna – roedd hwyl y gweithwyr yn tynnu coes yn eu hacen Cockney braf yn f'atgoffa cymaint o 'nghyfnod i yn Llundain flynydde'n gynt. Cofiwch, do'n i erioed wedi dychmygu bryd hynny fod shwd brysurdeb yng nghanol y nos, a'r lliwiau bendigedig a'r persawr hyfryd yn llenwi'r lle. Ar ôl gwario'n dda yn y farchnad, 'nôl â fi â bocseidi o flodau ar y trên i Gaerfyrddin. Oedden wir, roedd y blodau'r flwyddyn honno'n werth eu gweld.

Bob blwyddyn hefyd, bydde'r eglwys yn cynnal swper cynhaeaf. Roedd hyn yn golygu gwneud pryd o fwyd tri chwrs i dros gant o bobl. Ro'n ni'n cael benthyg y gegin yn y Ganolfan Addysg, ac yn addurno'r neuadd gyda blodau

John yn ei siop flodau yn Baker Street, Llundain

Y criw a fi mewn swper cynhaeaf

a llieiniau ar y bordydd. Fi oedd yn y gegin, wrth gwrs, ac o'n i'n cael rhai o aelodau'r dosbarthiadau i helpu. Bydden ni'n gwneud cawl i ddechre, ac wedyn rhywbeth fel *coq au vin*, a chrymbl i bwdin i roi pryd da i bawb. Bechgyn y côr fydde'n gweini, ac roedd hi wastad yn noson hwylus dros ben. Serch hynny, rwy'n cofio un flwyddyn, daeth un o'r bois i mewn i'r gegin a golwg bryderus ar 'i wyneb. 'Ena,' medde fe, 'ni chwech *soup* yn brin.' Nag o'dd hyn wedi digwydd o'r blaen, felly roedd rhaid meddwl yn glou. *Chicken chasseur* oedd y prif gwrs, a dyma fi'n dweud wrth Eirwen fy ffrind, 'Ewch i'r *storeroom*, ma' potel o win coch yna.' Wedyn dyma fi'n cymryd peth o'r saws *chasseur* ac yn arllwys y botel win i mewn iddo a'i ferwi fe lan.

Roedd y bechgyn yn dal i sefyll yn aros am gyfarwyddiadau. ''Co chi, cerwch mas â'r rhain, bois bach,' medde fi. A wir i chi, dyna'r *soup* gore i fi ei wneud mewn unrhyw swper cynhaeaf. Cofiwch, er ei fod e wedi plesio'r noson honno, sai wedi rhoi'r rysáit arbennig yna yn unrhyw un o fy llyfrau coginio.

Ar ôl cwpl o flynydde o gynnal y dosbarthiadau coginio yng Nghaerfyrddin, cynyddodd y galw, a dechreuais i gynnal dosbarthiadau yn Nantgaredig hefyd, yn adeilad yr ysgol. Er bod Nantgaredig dipyn o gam mas yn y wlad, yr un peth roedd pobl am ei ddysgu fan hyn hefyd, sef sut i wneud bwyd da, maethlon. Y peth pwysig yw gwybod sut i wneud pethe'n iawn; 'sdim rhaid mynd yr holl ffordd rownd Felinfoel a Dafen i wneud pryd o fwyd – ma' posib 'i wneud e heb ffws. Dyna yw fy athroniaeth i am fwyd. Sai'n un sy'n dilyn y ffads a'r ffasiynau diweddaraf. Bob amser wrth ddysgu, ac yn ddiweddarach ar 'Heno', bydden i'n dewis ryseitie a bwyd y bydden i am eu bwyta fy hunan. Mae'n rhaid i chi ddeall bwyd a maeth, wrth gwrs, os ydych chi am eu dysgu, ond mae un peth yn hollol wir: does dim rhaid cael cynhwysion ffansi i wneud bwyd blasus, da. Rwy'n danto pan fydda i'n gweld ffasiynau fel *nouvelle cuisine*; wel, nage pryd o fwyd yw hwnna, patrwm ar blât yw e, 'na i gyd. Weithiau bydda i'n gwylio 'Masterchef' ar y teledu, ac yn rhyfeddu at y nonsens y mae pobl yn ei siarad am fwyd; wir i chi, rwy'n gwingo wrth wrando arnyn nhw. Yr hyn sydd ei angen yw i bobl wybod y pethe sylfaenol – pethe fel berwi tato yn y ffordd iawn.

Wedi dweud hynny, mae syniad pobl am beth yw bwyd iach a bwyd sy'n addas i'w fwyta wedi newid yn fawr dros y blynydde. Pan o'n i yn y coleg o'n i'n dysgu pob math o bethe, fel *choux pastry*, *puff pastry*, *hot water crust* – ond heddiw ni'n tueddu i dorri'r pethe yna mas o'n diet. Falle'n bod ni'n tueddu i fwyta gormod o fraster, ond wi'n credu'n gryf nag yw tamed bach hwnt ac yma'n gwneud dim drwg o gwbl i chi. Dyna i chi hufen – wrth gwrs na ddylen ni fwyta hufen bob dydd, ond 'sdim o'i le ar 'i gael e nawr ac yn y man. Chi'n gweld, mae'n rhaid cael rhywbeth i oelio'r cymalau: ni fel beic neu gar – mae *lubrication* yn hollbwysig!

Roedd hwn yn gyfnod prysur iawn yn Nantgaredig, a gwersi'n cael eu cynnal bob nos o nos Lun i nos Iau. Nid coginio oedd yr unig gwrs – roedd clustogwaith, gwnïo, gwaith coed a phob math o grefftau ar gael hefyd. Roedd gwaith neilltuol o dda'n cael ei wneud, felly penderfynon ni gynnal arddangosfa bob blwyddyn, i bawb gael gweld safon y gwaith. Bydden ni'n gosod neuadd yr ysgol, ac yn paratoi cacennau a choffi i bawb, ac fel yn Llwynhendy 'slawer dydd, o'n i wrth fy modd yn gweld y balchder ar wynebau'r myfyrwyr wrth ddangos y gwaith i'w teuluoedd.

Ar ôl i fi fod yna am rai blynydde, penderfynodd y Cyngor eu bod nhw am gael rhywun i oruchwylio'r dosbarthiadau i gyd. O'n i'n barod am her newydd, felly ymgeisiais am y swydd a'i chael hi. Roedd hwn yn waith caled, ac yn anffodus, doedd e ddim yn rhoi amser i fi gynnal dosbarthiadau hefyd. Roedd yn rhaid i fi drefnu'r amserlen, dod o hyd i athrawon i ddysgu'r dosbarthiadau, derbyn yr arian i gyd a'i fancio, a bod yno i gymryd y gofrestr.

Ond nid gwaith oedd popeth. Rhyw ddwy flynedd wedi i ni symud i Gaerfyrddin, roedd gallu Paul ar y piano a'r organ yn dod yn amlwg, a gofynnwyd iddo chware'r piano i gwmni opera'r clwb ieuenctid. Elizabeth Evans oedd yn rhedeg y clwb, ac roedd hi'n paratoi cynhyrchiad o *Snow White*. Wel, fe gytunodd e i wneud, a mwynhau mas draw. Da'th e'n ôl i'r tŷ un diwrnod, a gofyn i Geoff a fi pam na ddelen ni i helpu hefyd. Roedd dileit 'da fi mewn gwnïo wrth gwrs, a'r peiriant Singer yn brysur drwy'r amser, a bydde Geoff a'i wybodaeth am offer trydanol yn amlwg yn werthfawr iawn i unrhyw gwmni drama. A dyna sut, flwyddyn yn ddiweddarach, yr oedd 'da fi gyllideb o £40 i wneud y gwisgoedd ar gyfer y sioe gerdd *Oliver!* – ac o'dd raid i fi daclu cant o blant 'da hwnna. Chware teg

Cwmni Opera Clwb Ieuenctid Caerfyrddin

i Elizabeth, doedd hi ddim am adael un o'r plant mas, felly roedd croeso i bawb. Rwy'n cytuno bod y syniad yn un teg, ond roedd e'n waith digon caled cael gwisgoedd i bawb 'da swm mor fach. Ond dyna ni, dychymyg, addewidion a gwaith caled, a llwyddon ni i gael gwisg i bawb. Erbyn hyn, Paul oedd Cyfarwyddwr Cerdd y cwmni, a buodd y sioe'n llwyddiant neilltuol. Ethon ni â hi draw i Iwerddon, i gystadlu mewn gŵyl i gwmnïau theatr ieuenctid yn Waterford. Gethon ni amser da iawn yna, ac yn goron ar y cyfan, enillodd Paul y wobr am y Cyfarwyddwr Cerdd gorau. O'n i'n falch iawn ohono fe, rhaid dweud.

Ar ôl hynny, nethon ni bob math o sioeau, yn perfformio'n rheolaidd yn Theatr y Lyric, ac roedden ni i gyd fel teulu'n mwynhau'n fawr. Ymhen amser, aeth Huw i'r coleg yn Rhydychen, ac wedyn Paul i Gaerefrog. Tra bod y ddau ohonon ni'n ofnadwy o falch o'r bois, ac wrth ein bodd yn eu gweld nhw'n tyfu ac yn cael cyfle i ddilyn eu diddordebau, roedden ni ar goll – o'dd y tŷ mor dawel a thaclus, a dim bechgyn mowr angen eu bwydo o fore gwyn tan nos. O achos hyn, roedd helpu'r cwmni opera'n gwneud lles i Geoff a fi, achos doedd yr holl waith ddim yn rhoi amser i feddwl am bethau

Fel y gwelwch chi, o'n i wrth fy modd fel meistres y gwisgoedd

eraill, ac roedd e'n golygu'n bod ni'n dal mewn cysylltiad â phobl ifanc. Rwy wrth fy modd yn siarad â phobl ifanc, ac o'n i'n teimlo fel mam i lawer ohonyn nhw. Rwy'n siŵr bod cymryd rhan mewn sioeau fel hyn yn beth da i blant wrth iddyn nhw dyfu. 'Sdim rhaid iddyn nhw fod yn ofnadw o gerddorol; y profiad sy'n bwysig, a chael bod yn rhan o weithgarwch yn y gymuned. Cofiwch, roedd digon o dalent yn y cwmni hefyd. Rwy'n cofio sylwi ar un crwt bach yn canu a meddwl bod llais ardderchog 'dag e. Nage fi oedd yr unig un i feddwl hynny, mae'n amlwg, achos aeth Wynne Evans ymlaen i fod yn ganwr opera, ac yn seren cyfres o hysbysebion teledu adnabyddus am yswiriant ceir.

Dim ond unwaith rwy'n cofio teimlo ychydig yn anghyfforddus am un o'r sioeau. Dewisodd Elizabeth Evans lwyfannu *Jesus Christ Superstar*, ac roedd hi am i rai o'r cymeriadau gael gwisgoedd fyddai'n gwneud iddyn nhw edrych fel 'sen nhw'n noeth. O'n i'n grefyddol iawn ar y pryd, ac yn teimlo nad oedd hyn yn addas – roedd braidd yn amharchus ac o'n i'n reit anhapus â'r syniad. Ond roedd Elizabeth yn benderfynol, ac ymhen amser fe gytunais i weithio ar y sioe. A 'na falch o'n i yn y diwedd 'mod i wedi gwneud. Gweithiodd yn dda yng Nghaerfyrddin, ac aethon ni â hi lawr i Dyddewi i'r eglwys gadeiriol hefyd. Roedd asyn go iawn 'da ni'n cerdded o ganol Tyddewi i lawr i'r eglwys, ac yn yr awyrgylch rhyfeddol yn yr hen adeilad, daeth y sioe'n fyw, a wir i chi, o'n i'n teimlo bod Duw yna gyda ni.

Ond fwy na mynych, yn y Lyric o'n ni'n perfformio, a dyna o'n ni'n 'i ystyried yn gartref y cwmni. Fel sy'n digwydd gydag adeiladau hanesyddol yn llawer o drefi Cymru, fe benderfynodd rhywun yn rhywle eu bod nhw am gau'r Lyric, a thynnu'r adeilad i lawr. Wel, wrth gwrs, roedd rhaid cael ymgyrch i achub y lle. Glywon ni fod cyfarfod yn cael ei gynnal yn Neuadd y Sir, felly bant â ni. Daeth dyn aton ni wrth i ni fynd i mewn a gofyn a oedd rhywun yn y cyfarfod i siarad ar ein rhan. Nac oedd, oedd yr ateb, felly edrychodd arnon ni mewn ffordd ddifrifol a dweud: 'Fe siarada i 'te.' A gallen ni byth fod wedi cael gwell – neb llai na Hywel Teifi Edwards oedd e, un o'r areithwyr a'r siaradwyr gorau erioed yn Gymraeg. Off â ni i'r galeri i wylio'r drafodaeth. Ar ôl ychydig, o'n i'n dechre gwylltio. Roedd Hywel Teifi'n codi ar ei draed i siarad, ac yn trio'i orau i gael ei big i mewn, ond roedd e jest yn cael ei anwybyddu. Felly dyma fi'n codi ar fy nhraed yn y galeri a dweud wrtho: 'Sefwch lan, a pheidiwch ag eistedd i lawr 'sbo chi wedi siarad.' A dyna wnaeth e, gan ddweud wrth y Cyngor: 'Mae hwn yn fater pwysig, mor bwysig nes 'mod i wedi gwisgo siwt i ddod i siarad â chi heddi am y Lyric.' A wir i chi, sai'n gwybod os taw siwt Hywel Teifi wnaeth y tric, ond cafodd y Lyric ei safio.

Dros y blynydde, o'n i wedi teithio i bob man ar y bws. Am ryw reswm, do'n i erioed wedi dysgu gyrru. Roedd gen i'r beic modur bach pan oeddwn i'n ifanc, ond unwaith dechreuodd Geoff a fi garu, wel, roedd gwasanaeth tacsi gen i, on'd o'dd e? O'n i'n ymdopi'n ddigon hawdd ar y bws – pan mae'n rhaid, dyna beth chi'n neud – ac roedd pobl wedi arfer fy ngweld i'n cario bocsys ac offer ar y bws i Nantgaredig a phob math o lefydd eraill.

Ond rai blynydde ar ôl symud i Gaerfyrddin, bu'n rhaid i bethau newid. Yn anffodus, cafodd Geoff drawiad ar ei galon, oedd yn golygu nad oedd e'n cael gyrru am chwe mis. Felly, a finne'n hanner cant oed, rhoddodd Huw a Paul eu traed i lawr, a mynnu 'mod i'n trefnu gwersi. Do'dd y peth ddim wedi croesi fy meddwl cyn hynny, ac o'n i'n teimlo braidd yn hen i fod yn dysgu rhywbeth newydd. Ond doedd dim dadle 'da'r bois, felly ces i drwydded dros dro a thalu am chwe mis o wersi – un wers yr wythnos. Wel, 'na nerfus o'n i; o'dd y syniad o fod yn rheoli cerbyd ar yr hewl yn hala ofn arna i bob wythnos. Ond ffeindies i ffordd i ddod dros hynna a thawelu fy nerfau – cyn pob gwers bydden i'n cael gwydred o win ac wedyn bydden i'n teimlo'n iawn. Sai'n credu y bydde neb yn argymell gwneud hynna'r dyddie hyn, cofiwch! Ta beth, ar ôl chwe mis, dyma roi cynnig ar y prawf, ond methu. Wrth lwc roedd cymydog, gŵr ffrind i fi, yn yrrwr rali, a chynigiodd e ymarfer 'da fi, a helpodd hwnna fi i basio'r prawf yr ail dro. 'Na'r peth gorau ddigwyddodd i fi – ar y pryd o'n i'n siŵr na fydden i byth yn dreifio dim pellach na Chaerfyrddin, ond o fewn chwe mis, o'n i'n gyrru ar hyd strydoedd prysur Llundain. Ar ôl graddio, roedd Huw wedi cael swydd yn Ysbyty'r Royal Marsden, a phrynu fflat yn West Norwood. Roedd e newydd briodi, ac roedd e a'i wraig newydd, Liz, ar eu mis mêl. Roedd Geoff a fi wedi prynu *fridge* iddyn nhw yng Nghaerfyrddin, ac roedd angen mynd â hwnnw i'r fflat. Gan nag o'dd Geoff yn cael gyrru ar ôl ei salwch, fi oedd wrth y llyw, a daeth John fy mrawd gyda ni i ddangos y ffordd. Felly dyna ni, finne newydd basio 'mhrawf, erioed wedi meddwl y bydden i'n gwneud shwd beth, yn tasgu rownd Marble Arch, a'r ddau ddyn druan bron â llenwi 'u trowseri yn y cefn. Ond alla i weud i fi gymryd at y car yn dda iawn, a thros y blynydde nesaf, bues i'n dreifio i bob rhan o Gymru gyfan, a mwynhau pob munud. Roedd byd newydd yn agor o 'mlaen i.

❧

Bywyd teuluol

Rwyf wedi bod yn lwcus iawn ar hyd fy oes i gael cwrdd â phobl ddiddorol a dymunol. Cofiwch, er 'mod i'n trio gweld y gorau ym mhawb, mae ambell un rwy 'di dod ar 'i draws na fydden i'n gwneud rhyw ymdrech fawr i gadw cysylltiad â nhw. Ond fel wi'n ei gweld hi, os ydych chi'n cwrdd â phobl yn yr ysbryd iawn, ac yn ddymunol wrthyn nhw, byddan nhw'r un mor gyfeillgar wrthoch chi yn eu tro.

Mae gen i ffrindie da sydd wedi bod yno bob cam o'r ffordd, drwy ddyddiau da a blin, ac wi'n diolch am bob un ohonyn nhw. Ond allwch chi byth â chael hyder i fynd mas i'r byd a gwneud eich ffordd drwyddo oni bai bod gennych sail gadarn. Does dim amheuaeth 'da fi 'mod i wedi bod yn lwcus iawn yn y teulu sy 'da fi, ac sydd wedi fy ngwneud yr hyn ydw i.

Teulu o chwech o'n ni'n tyfu lan – wel, chwech ac Wncwl Willie, oedd wastad o gwmpas, ac yn gymaint rhan o'r uned deuluol â neb. Roedd fy rhieni bob amser eisiau'r gorau i ni, a ches i bob anogaeth

'Ar ôl gwario'n dda yn y farchnad, 'nôl â fi â bocseidi o flodau ar y trên i Gaerfyrddin.'

gan y ddau. Falle nag o'n i'n sgolor yn yr ysgol, ond wnes i fyth glywed Mam na 'Nhad yn fy amau i – roedden nhw'n credu os o'n i'n fodlon gweithio'n galed i gyrraedd fy uchelgais, y bydden i'n siŵr o'i gyflawni.

Fi oedd yr hynaf o'r plant, ac wrth i ni dyfu, roedd y tri arall yn edrych ata i er mwyn gweld sut i ymddwyn. Wrth i'r pedwar ohonon ni fynd ein ffyrdd ein hunain, mae wedi bod yn neilltuol o bwysig i fi wybod bod y lleill yna. Er nag y'n ni wedi byw ym mhocedi'n gilydd, ni wastad wedi bod ar ben arall y ffôn neu'n barod â theboted o de pan fydde angen sgwrs.

Tegfan oedd y nesaf, bedair blynedd yn iau na fi. Fel fi, aeth e i Ysgol Gynradd Felindre, ond yn un ar ddeg oed, aeth ymlaen i'r Tech ym Mhontardawe i astudio *Mechanical Engineering*. Ar ôl pedair blynedd o astudio, fe oedd disgybl gorau ei flwyddyn, ond er ei fod yn dangos gallu yn y pwnc, roedd e'n benderfynol o ymuno â 'Nhad dan ddaear, ac aeth i weithio gydag e am sbel ym mhwll Graigola

Fi, Nancy, John a'n tad, Islwyn

Merthyr ym Mhontarddulais. Yna, ar ôl rhyw bedair blynedd o gloddio glo, penderfynodd ymuno â'r heddlu. Bu'n rhaid iddo symud i'r Drenewydd a'r Trallwng i hyfforddi, a dyna lle buodd e am ddwy flynedd. Ond dyn ffein, addfwyn iawn oedd Tegfan, ac er bod y syniad o gadw'r heddwch yn apelio ato, doedd dim blewyn cas ar 'i ben, ac roedd e'n cael trafferth rhoi tocyn parcio i neb, hyd yn oed. Rwy'n credu bod ychydig o hiraeth am ardal ei gartref arno hefyd, achos ar ôl dwy neu dair blynedd, 'nôl i Abertawe ddaeth e, i weithio yn siop John Penri, siop lyfrau Undeb yr Annibynwyr yn y ddinas. Dyma pryd cwrddodd e ag Enid Jones, athrawes ysgol gynradd o Dreforys, mewn twmpath un noson, os wi'n cofio'n iawn. Ta beth, priododd y ddau, a setlo yn Nhreforys. Gethon nhw bump o blant, Steffan, Hefin, Rhys, a'r efeilliaid Rhiannon ac Eleri.

Ymhen amser, penderfynodd Tegfan ei fod am fynd i'r weinidogaeth – erbyn hyn roedd e'n mynd gydag Enid i gapel y Bedyddwyr, Caersalem Newydd, yn Nhreboeth. Dechreuodd ei gwrs yn y Coleg Coffa yn Abertawe, ond tra 'i fod yn dilyn ei gwrs, symudodd y coleg i Aberystwyth. Cwrddodd Tegfan â phartner

Fi ar y chwith, gyda Nancy, John a Tegfan

a chyfaill arbennig yn ystod y cyfnod hwn – Tom Dafydd o Gaerfyrddin. Ar ôl astudio, aeth Tegfan yn weinidog i Lambed; symudodd y teulu yno, a dyna lle ganwyd yr efeilliaid.

Gwaetha'r modd, daeth salwch i fywyd Tegfan pan gafodd ei daro gan iselder. Roedd hi'n anodd iawn arno, ac yn y diwedd symudodd y teulu'n ôl i Dreforys, ac aeth Enid yn ôl i ddysgu. Roedd hwn yn amser caled iddyn nhw, ond llwyddodd Tegfan i ddod dros hwnna i raddau, a mynd i weithio wedyn i Ysgol Bro Gŵyr fel technegydd yn y labordy. Rhaid bod addysg yng ngwaed y teulu, achos i'r maes hwnnw yr aeth nifer o blant Tegfan ac Enid hefyd. Mae Steffan yn brifathro yn Nantgaredig, Hefin yn dysgu yn Ysgol Gyfun Glantaf yng Nghaerdydd, Rhys yn dysgu ym Mhontardawe, a'r merched wedi mynd i weithio i'r byd teledu ar rai o raglenni plant S4C.

Er ei fod yn ddyn mor annwyl, chafodd Tegfan ddim bywyd hawdd, ac er tristwch i ni i gyd, buodd e farw ym mis Rhagfyr 2011 o ganser y stumog. Rwy'n falch o ddweud iddo gael angladd parchus, ac roedd capel Caersalem Newydd yn llawn dop – alle fe ddim fod wedi cael gwell *send-off*.

Nesaf yn y teulu oedd John, a gyrhaeddodd dair blynedd ar ôl Tegfan, a fe oedd yr unig un ohonon ni'n pedwar i fynd i'r ysgol ramadeg ym Mhontardawe.

Roedd elfen artistig yn amlwg yn John yn gynnar iawn – yr un peth â fi. Roedd y ddau ohonon ni'n fedrus 'da'n dwylo, ac â llygad i weld beth oedd yn edrych yn dda. Pan oedd e'n dair ar ddeg oed, adeiladodd theatr bypedau fawr bren, ynghyd â chymeriadau a *props* i wneud sioeau. Roedd hon yn llwyddiannus iawn, a chafodd John ei wahodd i berfformio ar raglen deledu plant mewn stiwdios yng Nghaerdydd. Ar ôl gadael yr ysgol, cafodd e swydd yn siop fawr David Evans yn Abertawe, yn gosod y ffenestri, a chredwch chi fi, roedden nhw bob amser yn werth eu gweld.

John a'i theatr bypedau

Sai'n gwybod os ces i ddylanwad arno drwy symud bant, ond ar ôl ychydig, penderfynodd John gymryd swydd yn Llundain, yn siop Selfridges. Os oedd David Evans yn Abertawe yn fawr, roedd Selfridges, yng nghanol Llundain, gam tipyn pellach lan yr ysgol. Ta beth, ar ôl bod yno am nifer o flynydde, penderfynodd John ei fod e wedi dysgu digon i redeg ei fusnes ei hun, ac agorodd siop flodau yn Baker Street. Galwodd y siop yn Daniel John, sef ei enwau bedydd. Anghofia i fyth mor falch o'n i o weld y siop yn fan 'na, ag enw John arni. O'n i'n browd reit o 'mrawd bach, yn enwedig pan welech chi rai o'r crachach oedd yn dod mewn yn gwsmeriaid. Ac wrth gwrs, dyna lle es i aros 'dag e a mentro i farchnad Covent Garden yn yr orie mân un tro pan oedd angen blodau i ŵyl flodau'r eglwys.

O'n i wrth fy modd yn mynd i aros 'da John yn 'i fflat yn Marble Arch, ac roedd John yn hapus iawn yn ei siop yn Baker Street. Ar ôl sawl blwyddyn yno, daeth yn ffrindie 'da bachan o ardal Gŵyr a oedd hefyd wedi mentro i'r ddinas fawr, i weithio yn siop Simpsons. Penderfynodd y ddau gael fflat 'da'i gilydd, ac maen nhw wedi bod 'da'i gilydd ers blynydde mawr erbyn hyn. John yw ei enw ynte hefyd – John Bayliss – ac mae e'n grêt.

Ar ôl Baker Street, agorodd John siop *antiques* yn agos i Chelsea, a gyda'i ffordd rwydd a'i wybodaeth dda, profodd y siop yn boblogaidd ac yn llewyrchus iawn. Prynodd e dŷ ger afon Tafwys, ond yn ddiweddar, mae'r ddau John wedi symud yn ôl i ardal Llanelli, i Bentre Nicklaus, ar lan y môr. Rwy wrth fy modd eu bod nhw mor agos i ni unwaith eto, ar ôl cynifer o flynydde ar wahân.

Nancy oedd babi'r teulu, ddeng mlynedd yn iau na fi. Ar ôl bod yn ysgol Pontarddulais, aeth Nancy i nyrsio, a hyfforddi yn ysbyty Llanelli dan Matron David, y fenyw oedd wedi fy nghyflogi i yng Nghilymaenllwyd. Roedd Geoff a fi'n byw yn Walters Road, Llanelli ar y pryd, ac yn fwy na mynych bydde Nancy lawr yn tŷ 'da ni. Roedd Geoff a hi'n dod 'mlaen yn wych – roedd hi fel chwaer fach iddo fe hefyd – ac roedd hi'n dwlu ar y plant, yn mynd â nhw mas a chware bob cyfle.

Fe weithiodd Nancy'n galed, ac enillodd wobr Myfyriwr y Flwyddyn cyn mynd ymlaen i astudio yn Abertawe i fod yn fydwraig. Tra roedd hi yno, cwrddodd hi â dyn o Irac, a oedd yn y brifysgol. Nathan Rasool oedd ei enw, a nath e 'i sgubo hi off 'i thraed – roedd e fel Omar Sharif – ac er nad oedd y teulu'n rhy hoff ohono, penderfynon nhw briodi. Buon nhw'n byw yn Irac am ddwy flynedd, ac wedyn symud 'nôl i Lundain. Cawson nhw dair o ferched: Layla, sy'n fargyfreithwraig erbyn hyn; Nadia, sydd â'i *dressing shop* ei hunan yn Camden, a Muna, sy'n cadw'n fishi fel mam – y tair ohonyn nhw yn Llundain.

Cafodd Nancy ysgariad ar ôl deunaw mlynedd o briodas, ac mae'n gweithio fel *nursing officer* yn Llundain nawr. Dyna lle mae ei bywyd hi a'r merched, ond mae'r cyswllt yn dal yn dynn â ni fan hyn.

Ni'n cwrdd o leiaf dair gwaith y flwyddyn, a ni'n siarad bob wythnos ar y ffôn.

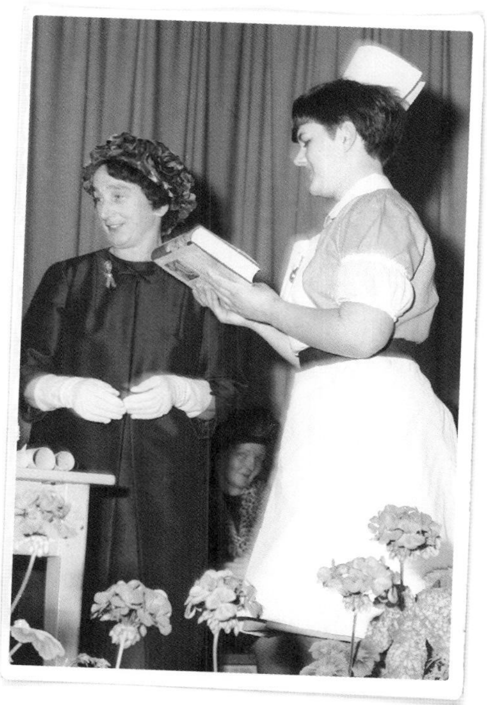

Falle taw'r peth pwysicaf y gall unrhyw un ohonon ni ei wneud yw cael plant a'u magu nhw yn y ffordd orau gallwn ni, â gwerthoedd a hyder i fod yn falch ohonyn nhw eu hunain. Nagw i'n un i chwythu 'nhrwmped fy hun, ond rhaid i fi weud, wi'n browd iawn o fy meibion, ac wi'n credu bod Geoff a fi wedi bod yn dîm da dros y blynydde, ac wedi'u magu nhw'n eitha deche. Wrth gwrs, mae'n help bod y ddau ohonyn nhw hefyd â natur sy'n golygu eu bod nhw wastad yn barod i roi cynnig ar bethe, o chware rygbi i ganu mewn côr neu chware'r organ.

Ar ôl pasio'i Lefel A, i Brifysgol Rhydychen aeth Huw i astudio Bioleg Ddynol. Mae wedi gwneud gyrfa yn y maes gwyddonol; ar ôl graddio, aeth yn Swyddog Gwyddonol yn Ysbyty St Stephen's yn Llundain yn gwneud ymchwil i ganser. Cafodd ei waith ymchwil i ganser serfigol ei wobrwyo yn 1987 pan dderbyniodd Wobr Shandon y *British Society of Clinical Cytology*. Ar ôl gweithio wedyn yn Ysbyty'r Royal Marsden yn Llundain am sbel, cafodd wahoddiad gan gwmni Olympus i fod yn Rheolwr Prydain yr Adran Microsgopau Gwyddonol. Erbyn hyn, fe yw'r Rheolwr Gwerthiant ar gyfer Ewrop a Phrydain yn Adran Microsgopau Gwyddonol cwmni Leica.

Pan oedd yn y coleg, roedd Huw, fel y rhan fwyaf o fechgyn, yn cael amser wrth ei fodd, a do'n ni ddim yn cael gwybod llawer o beth oedd e'n ei wneud. Pan ddaeth hi'n amser iddo adael Rhydychen, ar y diwrnod aethon ni lan i'w helpu i glirio'i fflat, wedodd e bod 'dag e rhywun o'dd e am i ni gwrdd â hi. Nag o'n ni wedi clywed dim am Liz

Nancy'n derbyn ei gwobr nyrsio

Baraclugh cyn hyn, ond roedd yn amlwg yn syth o weld y ddau gyda'i gilydd bod rhywbeth mwy na chyfeillgarwch rhyngddyn nhw. Merch o Swindon oedd hi, ac roedd wedi astudio'r un cwrs â Huw. Cymeres i ati'n syth – mae'n hyfryd – ac erbyn hyn mae'r ddau'n briod, yn byw yn Leighton Buzzard, ac mae tri o blant 'da nhw: Owen, Ffion ac Ieuan.

Roedd Huw yn chwaraewr rygbi brwd, yn chwarae i'r ysgol a hefyd i Quins Caerfyrddin. Mae'r Scarlets yn dal yn 'i waed e, ac mae'n treulio llawer o amser yn hyfforddi tîm rygbi bechgyn dan bymtheg Leighton Buzzard.

Roedd Paul hefyd yn chwaraewr rygbi, unwaith eto yn chwarae i'r ysgol ac i'r dref. Ond ar wahân i hynny, maes gwahanol iawn oedd yn ei ddenu fe. Roedd Paul yn hapus i fod yn llygad y cyhoedd – roedd yn Brif Swyddog yn yr ysgol ac yn ddirprwy organydd yn Eglwys St Peter's. Roedd cerddoriaeth yn bwysig iawn iddo, a gydag ysgoloriaeth organ York Minster, aeth i Gaerefrog i astudio Cerddoriaeth. Ar ôl graddio, aeth i wneud cwrs Radio, Ffilm a Theledu ym Mryste, gan dderbyn hyfforddiant gan y cyfarwyddwr David Puttnam. Yn y byd teledu mae wedi gwneud ei yrfa, yn gynhyrchydd cerddoriaeth yn y BBC i ddechrau, ac yna'n gwneud pob math o brosiectau difyr, fel un ar gerddoriaeth frodorol, a aeth ag e o gwmpas y byd i gyd – i Chile, Ecuador a Cholombia ac wedyn Mongolia. Cafodd ei benodi'n Bennaeth Celfyddydau BBC Cymru yn 2000, ac erbyn hyn mae'n gweithio yng nghwmni Indus Films yn gwneud rhaglenni nodwedd a dogfen, fel y cyfresi 'Coal House'. Mae e wedi ennill sawl gwobr BAFTA am ei waith,

Huw a Paul yn ddynion ifanc

ac wedi bod yn gadeirydd BAFTA yng Nghymru. Ond mae e hefyd yn gweld pwysigrwydd meithrin y genhedlaeth iau, ac mae'n gweithio gydag Ymddiriedolaeth Elizabeth Evans i helpu pobl ifanc yn y celfyddydau, yn mentora talent newydd. Yn y coleg y cwrddodd Paul â'i wraig hefyd – Jane Elderton o Barnsley, Swydd Efrog, hithau'n ferch hyfryd – a thri o blant sydd ganddyn nhw hefyd: Manon, Harri a Joshua. Ym Mro Morgannwg maen nhw'n byw.

Mae'r wyrion i gyd yn blant bendigedig. Rwy'n trysori cael y teulu cyfan o gwmpas y ford a phawb yn mwynhau pryd blasus o fwyd a sgwrsio'n hapus 'da'i gilydd. Wrth gwrs, wrth i'r plant dyfu, mae hyn yn dod yn anoddach, achos mae pawb â'u bywyd eu hunain, ond maen nhw i gyd yn hoffi dod i weld Geoff a fi yng Nghaerfyrddin, ac wi wrth fy modd yn eu gweld nhw'n dod drwy'r drws yn gwenu ac yn llawn brwdfrydedd i ddweud eu hanes.

❧

Y teulu ym mharti priodas ruddem Geoff a fi

'Heno', bois bach

Rwy wedi gwneud tipyn o waith i elusennau dros y blynydde, oddi ar 'mod i'n cofio, a dweud y gwir. Dechreues i yn Llanelli. Roedd ffrind i fi, Rhona, yn ffisiotherapydd yn ysbyty'r dref. Awgrymodd hi y dylen ni drefnu noson i godi arian i glefyd spina bifida. Cytunes i helpu, felly dyma ofyn i westy'r Ashburnham ym Mhenbre a allen ni gael ystafell, a chytunon nhw i roi'r lle am ddim i ni. Roedd yn noson lwyddiannus iawn, ac oddi ar hynny, rwy wedi gwneud mwy o nosweithiau a digwyddiadau nag y galla i 'u cofio. Os bydden i'n ystyried bod achos yn un da, bydden i wastad yn fodlon cynnal noswaith i'w gefnogi, ac unwaith i bobl ddechre clywed am hyn, o'n nhw'n gofyn yn amlach ac yn amlach. Roedd hi'n ffordd dda i fi godi arian drwy wneud rhywbeth o'n i'n ei wneud beth bynnag. Bydden i'n paratoi'r bwyd – ac yn rhoi'r bwyd – ac yn gofyn wedyn am gyfraniad i achos da.

Ar y noson, bydden i'n coginio'r bwyd, ac ar ddiwedd y digwyddiad, bydden nhw'n ei rafflo fe, ac o'dd hwnna'n codi mwy o

' . . . lwcus taw trwser o'n i'n 'i wisgo, achos es i'n hollol sownd, a 'mhen-ôl yn yr awyr, yn ffaelu dod mas na mynd 'nôl mewn. '

arian. Bydden i'n trio gwneud pryd bob tro – cwrs cynta, prif gwrs a phwdin. O'dd ffwrn fach yn mynd 'da fi yng nghefn y car – *gas rings* bach, a *wok* a ffrimpan drydan – ac o'n i'n gweithio popeth fel 'ny. O'dd y bŵt wastad yn llawn dop, a phan ddelen i adre, o'dd lot o waith i glirio a golchi'r llestri i gyd. Wedodd Geoff yn hwyr un noson ei fod e wedi ca'l digon – a phrynodd e *dishwasher* i fi. Sai'n credu bod neb wedi gweithio mor galed i ga'l *dishwasher* erioed!

Rwy'n cofio un gaeaf i fi gael galwad i gynnal noswaith i godi arian i ryw eisteddfod, a daeth Eirwen Williams, fy ffrind da oedd yn athrawes yn ysgol Nantgaredig, gyda fi yn y car. Roedd hi'n ganol gaeaf, ac yn eithaf garw, ond doedd Llanpumsaint ddim yn bell o Gaerfyrddin, ac o'n i ddim yn becso gormod. Ond erbyn i ni ddechre mas o Nantgaredig, sylweddolon ni nad pobl Llanpumsaint oedd wedi'n gwahodd ni o gwbl, ond pobl Pumsaint. Nag o'n i erioed wedi clywed am y lle, a do'dd 'da fi ddim syniad ble'r oedd e. Wrth gwrs, roedd rhaid mynd, felly bant â ni a dilyn y map drwy berfeddion cefn gwlad Sir Gaerfyrddin. Dechreuodd hi fwrw eira, ac o fewn dim roedd e'n dod lawr yn drwch, a ninne'n mynd ar hyd y ffyrdd bach gwledig bron mor bell â Llambed. Erbyn cyrraedd y pentre o'r diwedd, roedd y neuadd yn dywyll, ond roedd bachan yna'n disgwyl amdanon ni. 'Mae'n ddrwg 'da fi, ' medde fe, 'ond mae'r noson wedi'i chanslo achos y tywydd – o'ch chi wedi gadael y tŷ cyn i ni ffonio.'

Rwy wrth fy modd yn gwneud arddangosiadau

Wel, wir. Ond 'na fe, droies i at Eirwen a gweud: 'Paid â becso, ma' digon o fwyd 'da ni yn y bŵt, ' a doedd dim amdani ond troi'r car rownd a mynd am adre. A wir i chi, erbyn i ni gyrraedd Llangadog, doedd dim pluen o eira i'w gweld yn unman, ac roedd yr hewlydd yn gwbl glir.

Pan ges i alwad ffôn un prynhawn Llun tua mis Medi 1993, ychydig feddylies i y bydde'r alwad hon yn dechrau pennod newydd yn fy mywyd i. Ond dyna ddigwyddodd. Agorwyd pob math o ddrysau i fi a bues i'n teithio o un pen o'r wlad i'r llall, a dod i adnabod cannoedd os nad miloedd o bobl newydd, a chwrdd â phobl fydde'n dod yn rhai o'r ffrindie gorau sy 'da fi.

Roedd bywyd yn fishi iawn, rhwng y Cwmni Opera Ieuenctid yng Nghaerfyrddin, cynnal nosweithiau codi arian, a'r gwaith yn Nantgaredig, felly do'n i ddim yn chwilio am ddim byd arall i lenwi fy amser. Roedd prynhawn Llun wastad yn brysur a finne'n gorffod trefnu gwersi'r wythnos yn y ganolfan yn Nantgaredig a gwneud yn siŵr bod popeth yn ei le i'r tiwtoriaid a'r myfyrwyr yn y dosbarthiadau. Nag o'n i'n nabod y llais ar ben arall y ffôn, ond pan wedodd hi taw merch o Felindre oedd hi, roedd rhaid i fi roi pum munud iddi. Lynne Thomas-Morgan oedd ei henw – o'n i'n nabod 'i mam yn iawn – ac roedd honno wedi sôn wrth Lynne amdana i fel tipyn o gogydd, ac yn gwybod 'mod i'n rhoi gwersi coginio ac yn cynnal arddangosfeydd. Eisiau holi oedd Lynne a fydden i'n fodlon dod i mewn i stiwdio'r rhaglen deledu nosweithiol 'Heno', i goginio ar y rhaglen. Wrth gwrs, o'n i'n meddwl taw jocan oedd hi – '*No way*!' o'dd fy ymateb cynta – ond roedd hi'n mynnu ei bod o ddifri, ac ishe trafod beth oedd ei angen, a beth fydden i'n hoffi ei goginio. Roedd rhaid i fi roi stop arni – o'n i ar fy ffordd mas i Nantgaredig – ond addawes i fydden i'n meddwl am y peth dros nos ac yn rhoi ateb iddi hi'r diwrnod wedyn. Mewn ffordd, nag o'n i'n disgwyl clywed dim 'nôl 'da 'ddi, ond do wir, fe ffoniodd eto drannoeth a holi eto o'dd diddordeb 'da fi. Roedd hi mor daer, nag o'n i'n lico dweud na, felly cytunes i i'w helpu. Beth o'n i ddim wedi'i ddisgwyl oedd ei bod am i fi ddod i mewn yr wythnos honno, felly unwaith i fi gytuno, doedd dim amser i newid fy meddwl, achos roedd rhaid gwneud y trefniadau. Dywedodd Lynne y gallen i wneud beth bynnag yr o'n i eisie, ond awgrymodd rywbeth gyda phlwms ynddo. 'Na fe te, iawn, meddylies i – teisen blwms syml.

Y drefn oedd fod yn rhaid i fi baratoi'r bwyd o flaen llaw, a dod â theisen wedi'i choginio gyda fi i'r stiwdio, a hefyd dod â'r cynhwysion i wneud un arall i'w choginio o flaen y camera. Off â fi i siopa felly ar y dydd Iau, i brynu popeth oedd ei angen i wneud dwy deisen, ac erbyn y dydd Gwener, roedd y cyfan yn barod – teisen blwms ffres a'r cynhwysion ar gyfer y llall mewn basged i fynd i'r stiwdio.

Fore Gwener, y diwrnod o'n i i fod yn y stiwdio, canodd y ffôn, a Lynne oedd yna. O'n i'n meddwl taw ffonio i wneud yn siŵr bod popeth yn iawn oedd hi, ond na. 'Mae'n wir ddrwg 'da fi Ena,' medde hi, 'ond mae rhywbeth wedi codi, a does dim angen i chi ddod i mewn heddiw wedi'r cyfan.' Wel, wir. A finne wedi paratoi'r deisen a'r cwbl. O'n i ychydig bach yn siomedig a dweud y gwir, ac wedi edrych 'mlaen at wneud rhywbeth gwahanol i'r arfer, ond roedd Lynne fach yn ymddiheuro shwd gymaint, allen i ddim bod yn rhy grac.

Wrth i fi dynnu'r deisen o'r fasged, daeth cnoc ar ddrws y ffrynt, a Steve, un o ffrindiau Paul oedd yno i'n gweld ni. 'Ti'n lwcus, ' medde fi wrtho, 'ma' teisen ffres 'da fi fan hyn.' Felly drwodd â fe i'r gegin, a disgled yr un i ni a sleisen o deisen blwms. Ac wrth i Steve a fi eistedd i lawr i fwynhau sgwrs, canodd y ffôn eto. Nag o'n i'n nabod y llais y tro hwn – Sarah Ruckley oedd yna, un o gynhyrchwyr 'Heno'. 'Mae'n ddrwg 'da fi, ' medde hi, 'ond ni angen i chi ddod i mewn heddiw wedi'r cyfan. Ydy hynny'n iawn? ' Arglwydd Mawr! Roedd y deisen wedi'i thorri, ac roedd angen i fi fod yn y stiwdio ymhen tair

Teisen blwms

I weini 6-8

Cynhwysion

175g / 6 owns o fenyn wedi ei feddalu
175g / 6 owns o siwgr caster
3 wy
175g / 6 owns o flawd codi
50g / 2 owns o bowdr almwn
450g / 1 pwys o blwms aeddfed
50g / 2 owns o siwgr Demerara

Y Saws

350g / 12 owns o blwms aeddfed
175g / 6 owns o siwgr Demerara
sudd 1 lemwn
120ml / ¼ peint o win coch

Dull

- Rhowch y menyn a'r siwgr caster mewn basn gymysgu, a hufennwch at ei gilydd nes eu bod yn ysgafn.
- Curwch yr wyau i mewn fesul un, yna plygwch y blawd a'r powdr almwn i mewn.
- Leiniwch dun teisen 20cm / 8" gyda phapur gwrthsaim ac irwch y gwaelod ag ychydig o fenyn. Sgeintiwch y siwgr Demerara drosto.
- Torrwch y plwms yn eu hanner a thynnu'r cerrig. Gosodwch nhw ar y siwgr a'r ochr lle bu'r cerrig i lawr.
- Rhowch gymysgedd y deisen i mewn yn y tun ac esmwytho'r arwyneb gyda chyllell balet.
- Pobwch mewn ffwrn ar 150C / 300F / Nwy 2 am awr nes ei bod yn euraid ac yn gadarn i'w chyffwrdd. Gadewch yn y tun am chwarter awr cyn ei throi hi mas ar rac wifren i oeri.
- I wneud y saws: torrwch y plwms yn chwarteri a thynnu'r cerrig. Rhowch mewn sosban gyda'r sudd lemwn a'r gwin a choginiwch am tua chwarter awr neu nes bod y ffrwyth yn feddal.
- Ychwanegwch y siwgr a berwch am 5 munud.
- Straeniwch y ffrwyth a'i wasgu trwy ridyll.
  Gweinwch gyda'r deisen a hufen neu *crème fraîche*.

awr; doedd dim eiliad i'w golli, felly lawr â fi i'r siop i brynu rhagor o blwms. Rwy'n credu taw dyna'r deisen gyflymaf i fi ei choginio erioed, ac wi'n siŵr ei bod yn dal yn dwym pan gyrhaeddais i stiwdios 'Heno' yn Abertawe ganol y prynhawn.

Aeth y rhaglen yn iawn – 'sdim lot all fynd o'i le pan chi'n gwybod beth chi'n 'i neud yn y gegin – ac roedd pawb i'w gweld yn ddigon hapus â'r gwaith. Nag o'n i'n disgwyl dim ar ei ôl e, ond wir, dyma Lynne yn ffonio eto'r wythnos ganlynol, a gofyn i fi ddod yn ôl. A dyna chi – *one-off* a aeth ymlaen am ddeng mlynedd.

Ar ôl peth amser, setlodd y drefn o weithio ar 'Heno' i'w le'n deidi. Dydd Gwener o'n i'n coginio, felly roedd tipyn o waith paratoi i'w wneud yn ystod yr wythnos, rhwng siarad â Lynne, prynu'r cynhwysion a phenderfynu ar fwydydd i'w gwneud drwy'r tymhorau gwahanol. Galle rhywbeth reit syml yr olwg fod yn waith caled. Er enghraifft, os bydden i am ddangos darn o ham wedi'i sgleinio â mêl, bydde rhaid paratoi tri thwlpyn o gig: un amrwd, un wedi'i ferwi ac yn barod i roi'r sglein arno, ac un wedi'i gwblhau – ac yn edrych yn flasus, wrth gwrs. Wrth i'r galw ar fy amser gynyddu, do'dd dim posib gwneud popeth, felly fuodd raid i fi roi'r gorau i'r gwaith yn Nantgaredig, a chanolbwyntio'n llwyr ar goginio ar y teledu.

'Sdim syndod, mae'n debyg, ond wrth i fwy o bobl ddod yn gyfarwydd â 'ngweld i ar y teledu'n rheolaidd, fe aeth y galw i fi fynd i gynnal nosweithiau drwy'r to, a chyn bo hir, o'n i'n teithio dros y wlad i bentrefi a threfi ym mhob cornel o Gymru. Bydde'r ffôn yn canu weithie am ddeg o'r gloch y nos ac yn y diwedd bydde'n rhaid i fi ddweud, 'Mae'n rhy hwyr i fi benderfynu nawr, ffoniwch yn y bore'. Bydden i mas unwaith yr wythnos – o'dd hynna'n eitha digon. O'dd e'n waith blinedig, ond o'n i'n joio.

Wrth gwrs, roedd hi nawr yn bosib i fi gyfuno'r gwaith elusennol â'r gwaith teledu, ac o'dd lot o sbort i'w chael yn cynnal nosweithie gydag Angharad Mair, Elinor Jones, Alwyn Humphreys, Roy Noble,

Dyddiau cynnar 'Heno'

Daloni Metcalfe, Siân Thomas neu Ray Gravell. 'Na fachan ffein o'dd Ray. O'n ni'n ca'l sbri – o'dd e mor nerfus bob tro o'n ni'n cynnal digwyddiad, bydde fe'n gweud: 'Ena, ti'n siŵr 'mod i'n 'i neud e'n iawn?' 'Wyt, Ray bach!' Ond un tro, a ninne lawr yn gwneud *Big Breakfast* yn y farchnad yn Llanelli, do'dd dim sôn am Ray yn unman. Felly ffonies i fe: 'Ray, ble wyt ti?' 'Wel, Ena, fi yn y gwely!' 'Yn y gwely?' wedes i, 'Cwyd a dere 'ma'n glou!' Ac o'dd e 'da fi o fewn dim, chware teg iddo, a 'na lle fuon ni o ddeg tan ddau yn gwneud *omelettes*, cocos, bara lawr, cig moch a phancos.

Nag o'dd pethe'n gweithio'n iawn bob tro. Un noson, o'n i yng Ngwesty Parc y Strade yn Llanelli yn cynnal arddangosfa i godi arian at ganser y fron yn Ysbyty Llanelli. O'dd hi'n llawn 'na, a chodon ni ryw fil o bunnau. O'n i wedi paratoi'n drylwyr, ac wedi prynu sosban fawr newydd â chaead gwydr – roedd hi'n un dda wir, ac yn werth ei chael. Wel, o'n i'n dal i siarad â'r bobl am beth o'n i'n 'i neud – rhyw *stir fry* os wi'n cofio'n iawn – a dyma fi'n clywed sŵn clonc ryfedd. Neidiodd pawb, a gofynnes i, 'Wel, beth hapnodd?' Roedd rhai'n meddwl falle taw ysbryd oedd 'na, ond ar ddiwedd y noson welon ni beth oedd wedi digwydd. Roedd clawr y sosban newydd wedi cwympo lawr o gefn y ford ac wedi smasho'n ddarne mân. 'Na siom!

Fi'n mwynhau wrth y barbeciw

Wrth gwrs, er 'mod i'n teithio ac yn cynnal nosweithie rownd y wlad, roedd nifer o achosion yn agos i gartre'n bwysig i fi, a bydden i'n gwneud lot i godi arian i Eglwys St Peter's yng Nghaerfyrddin hefyd. Dyna chi'r te mefus lle gwnes i dri chant o sgons, a'r barbeciw ar y traeth yn Llansteffan. Roedd y digwyddiadau hyn yn fwy nag achlysuron i godi arian, o'n nhw'n gymdeithasol hefyd, pawb o'r eglwys 'da'i gilydd – yr hen, yr ifanc a'r canol oed – a phawb yn mwynhau.

Ond nid dim ond coginio o'n i'n 'i wneud. Ro'n i wedi bod yn gwneud fy nillad fy hun ers blynydde wrth gwrs, ac o'dd y diddordeb o'dd 'da fi mewn ffasiwn yn dal yn gryf. Un flwyddyn, wrth i ni feddwl am ffyrdd gwahanol i godi arian i'r eglwys, dyma fi'n cael y syniad o gynnal sioe ffasiwn. Ethon ni i holi ambell i siop yng Nghaerfyrddin, a'u perswadio nhw i roi'r dillad, a dyma ddechre'r hwyl rhyfeddaf. Feddylies i erioed y bydden i'n fodel, ond o'n i wrth fy modd yn cael paredan a dangos y dillad hyfryd yma i gyd ar y *catwalk*. A ches i flas arno, a thros y blynydde gwnes i lot o sioeau ffasiwn i elusennau, ac i rai siopau. Es i i ffilmo un tro 'da 'Heno' i siop Ededa J yng Nghastellnewydd Emlyn – wel, 'na ddillad hyfryd. Des i'n gwsmer da o fewn dim, a chyn bo hir o'n i'n modelu'n rheolaidd iddyn nhw hefyd.

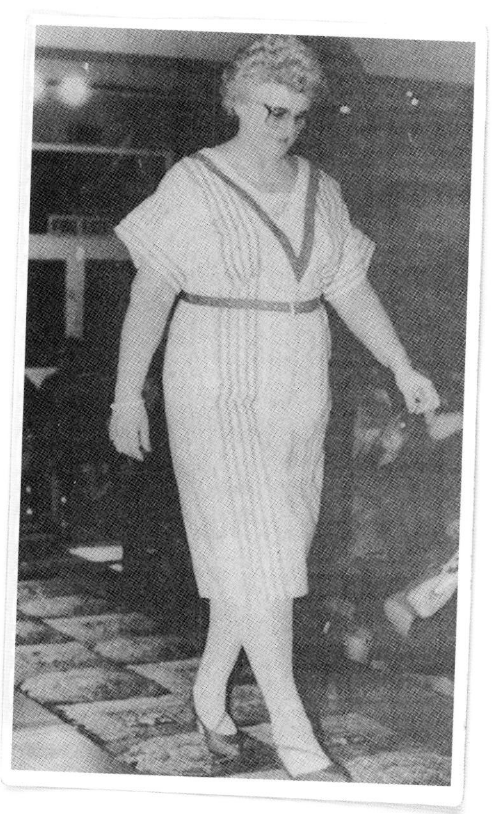

Ar ôl y tro cyntaf yna'n coginio teisen blwms o flaen y camerâu, o'n i'n hapus iawn yn gwneud gwaith teledu. Gymerais i ato'n syth, ac o'r ymateb ges i, wi'n credu bod pobl wedi hoffi fy ngweld i hefyd. Mae'r rheswm am

Cyfle i fod yn fodel

hynny'n syml iawn yn fy marn i. Gydag Ena, *what you see is what you get* – wi wastad yr un peth gyda phawb, dyna'n athroniaeth i: bod yn naturiol, dim ots pwy yw'ch cynulleidfa.

Ambell waith bydde pobl yn holi o'n i'n teimlo'n nerfus yn coginio'n fyw ar y teledu – wedi'r cyfan, galle unrhyw beth fynd o chwith. Ond o'n i'n gwybod fy stwff. Allwch chi ddim treulio dros ddeng mlynedd ar hugain yn y gegin heb ddysgu un neu ddau o bethe, ac os bydde pethe'n mynd o chwith, wel, bydde hynny'n dangos i bobl bod pawb yn cael damweiniau bach weithie, dim ots pa mor brofiadol ydyn nhw. Y peth pwysig yw cael yr hyder i wybod beth i'w wneud pan fydd pethe'n mynd o'u lle, a pheidio â mynd i banig – dyna pryd mae'r problemau'n dechre go iawn. Ar ôl ychydig, dechreuodd pobl ysgrifennu i mewn i'r rhaglen, naill ai i ofyn am gopi o'r ryseitie (roedd hyn cyn dyddiau'r rhyngrwyd, wrth gwrs) neu i ofyn rhyw gwestiwn neu 'i gilydd am goginio. Gan 'mod i wedi arfer â dysgu coginio ers blynydde, o'n i wrth fy modd i allu helpu. Aethon ni ati wedyn gyda chyfresi o eitemau ar wahanol adegau o'r flwyddyn. Roedd y Nadolig yn boblogaidd tu hwnt, gyda chynghorion penodol ar bryd a sut i baratoi popeth. Mae pawb ishe coginio rhywbeth sbesial at y Nadolig, ac mae'n gallu edrych fel gormod o lawer o waith. Beth o'n i moyn 'i ddangos o'dd os ydych chi'n drefnus, ac yn gadael digon o amser i wneud pethe heb fecso gormod, fe ddewch chi drwyddi – a mwynhau'r Nadolig hefyd. Yn y cyfnod yma, roedd miloedd o lythyron yn cyrraedd y stiwdio – aeth pethe'n *crackers*! Ac o'n i wrthi hefyd yn paratoi popeth at y rhaglenni Nadolig yn y gegin gartre, nes 'i bod hi'n amhosib gweld dim byd ar wahân i'r holl fwyd. O'n i wrth fy modd yn deffro diddordeb pobl mewn coginio.

Ar un adeg, bues i hefyd yn cynnal wythnos o arddangosiadau coginio adeg y Nadolig yn Lochmeyler, ger Solfach yn Sir Benfro – dyna chi ardal bert o Gymru. Roedd Glyn Jones a'i wraig Morfydd yn rhedeg fferm laeth a busnes llety a brecwast yno, ac mewn pabell fawr, roedd stondinau crefftau a chynhyrchwyr cynnyrch Cymreig yn gwerthu eu nwyddau, a finne'n coginio. Daeth yr wythnos yn draddodiad, ac fe aeth ymlaen am bum mlynedd. Roedd shwd hwyl i'w gael gyda'r nos, pan fyddai Noson Lawen yn cael ei chynnal, a gwahanol gomedïwyr yn dod â'u jôcs i'n diddanu. Un flwyddyn, cafodd 'Heno' ei darlledu'n fyw o Lochmeyler, ac roedd gwesteion yr wythnos yn cael agoriad llygad yn gweld y rhaglen yn cael ei chynhyrchu o flaen eu llygaid. Roedd pawb bob amser yn drist yn gweld yr wythnos yn dod i ben, ac mae Glyn a Morfydd yn dal yn ffrindiau agos i fi a Geoff. Byddwn ni'n aml yn hel atgofion am y dyddiau da rheini.

Rwy wedi coginio i bobl bwysig a phobl gyffredin, yn hen ac ifanc, a'r un peth wi'n 'i bregethu bob tro – ac wedi gwneud sawl tro yn y gyfrol hon eisoes. Bwyd ffres; bwyd syml, blasus – dyna sydd ei angen. Ar ôl bod yn coginio ar 'Heno' am beth amser, ac oherwydd yr holl lythyron, penderfynon ni y bydde'n syniad da rhoi rhai o'r ryseitie mewn llyfr. Felly es i ati gyda Luned Whelan o wasg Hughes a'i Fab i ysgrifennu cyfrol, *Llyfr Ryseitiau Ena*. Roedd yn amlwg fod y math hwn o goginio'n apelio, achos hedfanon nhw oddi ar y silffoedd, ac aethon ni 'mlaen i ysgrifennu pedair cyfrol arall, ac mewn ymateb i'r galw mawr, cyhoeddon ni fersiynau Saesneg ohonyn nhw hefyd. Rhwng 1994 a 2001, gwerthwyd dros 15,000 o lyfrau.

Y Nadolig cyntaf gyda 'Heno', wi'n cofio dangos i Alwyn Humphreys sut i baratoi'r deisen i roi'r marsipan arni. Rwy bob amser yn rhoi brandi yn y deisen cyn rhoi'r marsipan drosti – a dweud y gwir, mae joch o frandi'n dda mewn lot o ryseitie – ond doedd dim

Mwynhau arddangosiad coginio yn ystod wythnosau Nadolig Loch Meyler

golwg o'r botel yn unman. Beth o'n i ddim yn 'i wybod oedd fod Alwyn wedi cwato'r botel enfawr o frandi yn fy mag llaw, o'n i wedi'i roi dan y cownter. Felly, yn fyw ar y teledu, dyma Alwyn yn estyn i lawr ac yn codi fy mag, a gofyn yn ddiniwed i gyd, 'O, hon chi moyn, ife Ena?' a thynnu'r botel mas. Wel, 'na chwerthin! A'r diwrnod wedyn, a finne'n siopa yn Marks & Spencer Abertawe, pwy weles i ond Prif Gwnstabl Heddlu Dyfed Powys, a dyma fe'n dod ata i a gofyn â gwên fach ddireidus a oedd y brandi'n dal yn fy mag. Dyna'r math o hwyl oedd i'w gael.

Gan fod shwd ewyllys da yn dod o gyfeiriad y gwylwyr, fe benderfynon ni y bydde'n syniad gwahodd pobl i enwebu rhywrai oedden nhw'n meddwl eu bod nhw'n haeddu cydnabyddiaeth yn eu cymuned, a bydden nhw wedyn yn derbyn Pwdin Nadolig Ena. Wel, roedd hwn yn boblogaidd ofnadwy, ac o'n i wrth fy modd yn mynd 'da Alwyn i weld yr enillwyr gyda phwdin yn anrheg iddyn nhw – roedd pobl mor falch o'n gweld ni'n dod. Os gweda i 'mod i siŵr o fod yn cwcan dros gant o bwdins bob blwyddyn, dyna amcan i chi o lwyddiant y syniad.

'Sdim amheuaeth fod y blynydde ges i gyda 'Heno' wedi rhoi profiadau hwyliog, heriol a hollol annisgwyl i fi, yn ogystal â'r cyfle i gwrdd â phob math o bobl – ac i goginio gyda llawer ohonyn nhw. Ar wahân i'r cyflwynwyr rheolaidd ar y rhaglen – Siân, Roy ac Alwyn yn enwedig – dyna Ray Gravell, Moc Morgan, Ruth Madoc, Shân Cothi, Dai Jones, T. Llew Jones, a hyd yn oed Rhodri Morgan, Prif Weinidog Cymru ar y pryd. Gŵyl fwyd yn Aberteifi oedd yr achlysur hwnnw, ac o'n i yno'n coginio gydag e ar gyfer yr her *Can't Cook, Won't Cook* yn yr ŵyl. *Pâté* mecryll o'n ni'n gorffod ei wneud,

Rhai o'r llythyron ddaeth i mewn ar gyfer 'Pwdin Nadolig Ena'

Pâté mecryll

I weini 4

Cynhwysion

350g / 12 owns o ffiledi mecryll wedi ei fygu, heb y croen
225g / 8 owns o gaws meddal llawn
sudd hanner lemwn
1 llwy fwrdd o gennin syfi (*chives*) wedi eu torri'n fân
pupur du wedi ei falu
1 llwy fwrdd o saws hufen rhuddygl (*horse-radish*)

Dull

- Rhowch y cynhwysion mewn prosesydd bwyd a'u cyfuno nes bod y gymysgedd yn fras neu'n llyfn, yn ôl eich dant. Os nad oes prosesydd gyda chi, defnyddiwch fforc i ddod â'r cyfan at ei gilydd.
- Gweinwch mewn dysglau *ramekin* neu rannwch rhwng pedwar plât gyda bara menyn neu dost brown.
- Addurnwch â dail salad a sleisiau o lemwn.

ond pan ofynnodd Rhodri i fi beth o'n ni am ei goginio, troi ei drwyn wnaeth e braidd, a dweud nad oedd e'n ffansïo hwnna o gwbl. 'Wel, tyff!' medde fi wrtho, ''Sdim byd arall i ga'l 'ma i chi heddi.' A chware teg iddo, fe fwriodd e iddi, a gethon ni sbort da iawn 'da'n gilydd.

Gŵyl arall lle cwrddes i â rhywun pwysig, a chael cyfle i wneud ychydig o genhadu ar ran bwydydd Cymru, oedd Gŵyl Fwyd Llambed. Ro'n nhw'n gofyn i fi fynd yno bob blwyddyn i gynnal arddangosfa goginio ar dir y brifysgol yn y dref – lleoliad bendigedig. Un flwyddyn, y Tywysog Charles oedd y gwestai arbennig, a ches i fy nghyflwyno iddo. Dywedodd ei fod yn hoff iawn o fara brith, felly fe roies i gopi o un o fy llyfrau iddo yn y fan a'r lle. Gwenodd e a diolch, a dweud y byddai'n cael ei gogyddion yn y palas i goginio bwydydd Cymreig.

Ond doedd pob eitem o ffilmio ddim mor urddasol, ac am ryw reswm, mae rhai o'r eitemau mwyaf cofiadwy yn ymwneud â theithio mewn rhyw ffordd neu'i gilydd.

Un diwrnod braf, anfonodd 'Heno' Alwyn Humphreys a fi lan mewn balŵn aer poeth uwchben tref Llandeilo. Syniad hyfryd, ond nagw i'n arbennig o heini, ac o'dd hi'n dipyn o strygl i ddringo i mewn

Sgwrsio gyda'r Tywysog Charles

i'r fasged. Ond dyna ni, llwyddes i yn y diwedd, a lan â ni i'r awyr. Wel 'na brofiad braf – chi'n gweld y wlad oddi tanoch, a phopeth yn dawel, jest sŵn yr adar a'r gwynt yn chwythu'n ysgafn. Ar ôl mynd dros Landeilo a'r cylch, ro'n ni wedyn yn glanio yn Newton House, plasty mawr yr Ymddiriedolaeth Genedlaethol jest tu fas i'r dref. Popeth yn iawn, ond os ces i drafferth mynd i mewn i'r fasged, roedd dod mas ganwaith gwaeth. Neidiodd Alwyn mas yn reit sionc, a llwyddes i ddod hanner ffordd. Ond 'na gyd weda i yw ei bod hi'n lwcus taw trwser o'n i'n 'i wisgo, achos es i'n hollol sownd, a 'mhen-ôl yn yr awyr, yn ffaelu dod mas na mynd 'nôl mewn. Gan fod pawb, gan gynnwys fi, yn wan o chwerthin, do'dd neb yn gallu fy helpu i chwaith. Cofiwch, roedd hi'n werth y drafferth, achos ar ôl dod mas rywsut yn y diwedd, roedd *champagne*, samwn wedi'i fygu a *croissants* yn aros amdanon ni.

Byddech chi'n meddwl y bydde'r cynhyrchwyr wedi synhwyro nag o'n i'n rhy ymarferol y tu fas i'r gegin, ond falle taw dyna oedd y rheswm o'n nhw'n gofyn i fi wneud y pethe dwl yma. Roedd yr her ges i 'da Rebecca Jones un tro gam ymhellach 'to. Roedd rhaid i fi goginio pryd o fwyd i'r holl filwyr a oedd wedi'u lleoli yn y barics yng Nghas-gwent, tipyn o sialens. Ond cyn cyrraedd y gegin, roedd gofyn i fi ddringo i mewn i un o'r cerbydau mawr 'ma sy'n debyg i danc. Fel tase hynny ddim yn ddigon, ro'n nhw hefyd yn disgwyl i fi 'i yrru fe. Wel, 'na chi brofiad – yn enwedig i fenyw nag o'dd yn gallu gyrru o gwbl cyn 'i bod hi'n hanner cant. Fe lwyddes i wneud, a mynd ymlaen i goginio *hotpot* cig eidion Cymreig gyda thatws pob i'r bois. Ro'n nhw wrth eu bodd, ac yn dweud licen nhw 'ngha'l i'n coginio iddyn nhw bob dydd. Cofiwch, wedodd neb fydden nhw'n lico 'ngha'l i yna'n gyrru iddyn nhw bob dydd.

Taith gyffrous arall oedd yn hwyliog dros ben oedd honno gyda Brychan Llŷr, o Gaerfyrddin i Ffair Aberteifi un flwyddyn. Roedd hi'n ddiwrnod bendigedig o hydref, a'r peth cyntaf yn y bore, galwodd

Brychan heibio i'n tŷ ni yn Llangynnwr ar gefn beic modur. A nesaf at y beic roedd *sidecar*. O'n, ro'n i'n gorffod teithio'r holl ffordd yn y cerbyd bach, a helmed ar fy mhen. Roedd y cymdogion i gyd mas o'u tai yn chwerthin, yn enwedig pan eisteddes i yn y *sidecar*, a hwnnw wedyn yn mynd reit i lawr, a'r beic yn gwyro i'r ochr 'da'r pwysau. Ond bant â ni i Aberteifi, ac fe fwynheais i bob cam o'r daith – roedd hi mor heulog a'r adar yn canu. Fel o'n ni'n cyrraedd Aberteifi, 'ma fi'n gweld Shoni Winwns ac medde fi wrth Brychan, 'Aros funud nawr', a phrynon ni raffed o winwns a'u rhoi nhw ar flaen y *sidecar* i yrru i mewn i'r dref, lle coginion ni farbeciw byrgers cig oen ac afal gyda salads – a digonedd o winwns. Hyfryd.

Mae'r ddau fab sy 'da fi'n ffans rygbi mawr, felly ro'n nhw wrth eu bodd pan ofynnwyd i fi fynd i Stadiwm y Mileniwm gyda Roy Noble un tro pan oedd Cymru'n chwarae Awstralia. Buodd Ann John, fy ffrind o Nantgaredig, yn fishi am sbel cyn i fi fynd, yn gwneud ffrog arbennig i fi, gyda *sequins* llachar gwyrdd a choch, a Draig Goch fawr arni. Coginion ni bryd cyflym i rai o'r *Aussies* – *mixed grill* gyda stecen cangarŵ.

Pryd bynnag bydde 'na ryw ddigwyddiad mawr rhywle yng Nghymru, bydde camerâu 'Heno' yna'n cofnodi'r cyfan, ac yn aml iawn bydde'r rhaglen gyfan yn cael ei darlledu o'r lleoliad. O'n i'n mynd â chegin 'Heno' i'r llefydd yma. Ethon ni lan i Fetws-y-coed un tro, lle'r oedd tîm o weithwyr 'Heno' yn cystadlu mewn ras i godi arian i elusen. Roedd y rhaglen yn dod yn fyw o gae gerllaw. Yn amlwg, roedd angen paratoi'n ofalus iawn ar gyfer rhaglenni fel hyn, i wneud yn siŵr fod popeth yn rhedeg fel watsh yn ystod y rhaglen fyw. Mae'n rhaid bod cnoc ar bawb yn y cwmni'r wythnos honno, achos trefnwyd y cyfan – gosod y set a'r gegin a phopeth – heb feddwl unwaith beth wnelen ni tase hi'n dod i'r glaw. Meddyliwch – ym Metws-y-coed o bobman. A do wir, wrth i ni baratoi i fynd ar yr awyr, agorodd y nefoedd, 'da glaw na weles i ei debyg erioed.

Beth allen i 'i wneud? O'n i i fod yn coginio bwyd *al fresco* addas i farbeciw. Wel, teledu byw yw teledu byw, felly rhedodd Siân Thomas, oedd yn cyflwyno 'da fi, i 'nôl cotiau i ni'n dwy, a gyda chwpwl o ymbarelau bach yn ceisio'n cysgodi, 'mlaen â'r rhaglen. O'n i am wneud amrywiaeth o salads, ac o'n i wedi paratoi tomatos i'w stwffio. Ymlaen â ni rywsut, a dyma fi'n gofyn i Siân estyn yr hanner tomatos draw i fi gael rhoi'r llenwad ynddyn nhw. Cydiodd hi yn y plât, ac roedd y tomatos yn llawn yn barod – o ddŵr – ac roedd rhaid arllwys hwnna mas cyn symud 'mlaen. Sai'n credu 'mod i erioed wedi bod mor wlyb – ac yn bendant sai'n credu aeth 'Heno' mas i ffilmio rhaglen wedi hynny heb wneud yn siŵr fod *gazebo,* neu o leiaf ymbarelau mawr, yng nghefn y fan.

Ond yn y stiwdio o'n i'n gwneud y rhan fwyaf o'r gwaith. O'n i'n mwynhau mynd lawr 'na bob dydd Gwener. Bydden i bob amser yn cael croeso mawr gan y criw i gyd, a phawb yn holi'n daer beth

Y ffrog a wnaeth
Ann John i fi

o'n i'n 'i gwcan yr wythnos honno. Chware teg, roedd y bois yma'n gweithio'n galed, a bydde gwynt y coginio'n treiddio drwy'r lle, ac roedd e ond yn deg eu bod nhw'n cael siâr fach o'r bwyd. Yn aml iawn, wrth ymarfer, bydden i'n hwpo blas o rywbeth i geg un o'r bechgyn ifanc oedd wastad yn edrych tasen nhw ar lwgu. Fel arfer, bydden i'n paratoi ychydig o fwyd ecstra fel bod pawb yn cael blas, ac ar ôl i fi fod yn gweithio yna am sbel, byddech chi'n sylwi ar y criw i gyd yn dod i'r stiwdio ar gyfer rhaglen dydd Gwener â fforc yn eu poced. Yr eiliad roedd y rhaglen yn dod oddi ar yr awyr, roedd hi'n *free-for-all*. Roedd bois y camera'n grêt, a wnes i fagu perthynas dda iawn 'da nhw. O'n i'n gallu dweud unrhyw beth wrthyn nhw, ac os o'n i moyn siót agos o'r bwyd, bydden i'n gwneud yn siŵr eu bod nhw'n ei wneud e'n iawn. Os 'n nhw'n gwybod eu bo' nhw'n mynd i gael 'i fwyta fe wedyn, ro'n nhw'n fwy na hapus i helpu.

Falle taw un o'r heriau mwyaf o ran coginio yn ystod fy nghyfnod ar 'Heno' oedd bod yn gyfrifol am ginio i dros ddau gant o bobl yng Ngharchar y Parc ym Mhen-y-bont ar Ogwr. Roedd yr Eisteddfod Genedlaethol yn dod i'r ardal, ac wrth gwrs roedd rhaid i'r bobl leol godi arian, a chafodd John Elfed Jones syniad ardderchog. Roedd Carchar y Parc ar fin agor, ac felly dyma benderfynu cymryd y lle am noson i wneud cinio mawreddog gyda phobl yn talu'n hael am bryd o fwyd blasus. Roedd rhaid trefnu cegin dros dro, a llogi byrddau, cadeirie – y cwbl lot. Roedd yr achlysur yn dipyn o farathon, ac yn waith neilltuol o galed, ond lwyddon ni i goginio pryd pum cwrs, a chodi £9,000 i'r Eisteddfod Genedlaethol. Noson hwyliog dros ben, gyda Roy Noble yn ŵr gwadd, a chredwch chi fi, roedd y gwin yn llifo, a phwysigion yr Eisteddfod yn mwynhau mas draw.

Cofiwch, er 'mod i'n pwysleisio bod angen cadw'r bwyd yn syml, mae creu ryseitie yn llawer o waith. Yn aml iawn bydda i'n creu rysáit go chwith, achos 'da 'ngreddf y bydda i'n coginio. Mae popeth yn fy mhen i, a bydda i'n coginio rhywbeth ac yn sylweddoli 'mod

i heb fesur y cynhwysion yn iawn. Felly, fe fydda i'n 'i wneud â'r llygad yn gyntaf, ac yna pwyso popeth, er mwyn gallu ysgrifennu'r rysáit derfynol. Wrth gwrs, mae lle i arbrofi hefyd; wrth wneud teisen a dechrau pwno'r menyn a'r siwgr, ychwanegu'r wyau, yna'r blawd, falle y bydda i'n meddwl hanner ffordd drwyddo, 'Tybed beth sy 'da fi yn y cwpwrdd?' Wel, falle bydd tun o binafal neu geirios 'da fi, neu *coconut*, neu aeron o ryw fath yn y rhewgell, felly bydda i'n ychwanegu beth bynnag wi'n ei ffansïo – a bydd 'da fi deisen gwbl wahanol wedyn. Mae hyn yn gallu cymryd amser go hir, ac yn bendant allen i byth fod wedi gwneud y gwaith 'ma i gyd heb Geoff. Wrth i'r nifer o ryseitie gynyddu, trefnodd e'r ystafell sbâr gartre yn swyddfa fach, prynu cyfrifiadur, a dechre cadw cofnod o bopeth. Dros y blynydde, rydyn ni wedi adeiladu cronfa enfawr o filoedd o ryseitie, ac mae Geoff yn gallu rhoi ei law ar unrhyw un o fewn munudau.

Fy nghegin gartre
yn Llangynnwr

Y bwyd sy'n bwysig, a dyna wi'n meddwl y mae rhai cogyddion ar y teledu'n ei anghofio. Mae'n gas 'da fi weld pobl fel Gordon Ramsay a'i regi a'i dymer dwl. 'Sdim lle yn fy nghegin i i *prima donnas*. Ac mae pobl yn tueddu i wneud sêr mawr o *chefs*. Rwy'n cofio unwaith halodd 'Heno' Glynog Davies a fi i Lundain, i sêl o offer cegin y gogyddes Elizabeth David yn Phillips, yr ocsiwnïar. Roedd Elizabeth David yn fenyw bwysig iawn – nath hi lot i newid syniadau pobl am fwyd. Doedd pethe fel garlleg ddim yn gyfarwydd i fawr neb ym Mhrydain cyn i Elizabeth David ddod â choginio ardal Môr y Canoldir i'r wlad, ac mae arnon ni gogyddion ddyled fawr iddi. Pan fuodd hi farw felly, roedd diddordeb mawr yn yr arwerthiant yma o'i heiddo. Ond wir i chi, erbyn gweld, rhyw bethe digon di-nod oedd yn yr ocsiwn. 'Wi 'di twlu gwell na hwn bant,' medde fi wrth Glynog am ryw blât i ddala pysgod, ond y sioc fwyaf oedd fod rhywun yn fodlon talu canpunt am un o'i llwyau pren hi. Canpunt am hen lwy bren! 'Na beth yw nonsens.

Yr unig beth a allai 'nhaflu i wrth fynd i rywle i goginio fydde cyrraedd y lle a gweld 'mod wedi anghofio fy *whites*. Pan o'n i'n astudio yn Llundain, dysgon nhw ni i wisgo dillad plaen gwyn yn y gegin, ac mae hwnna wedi aros 'da fi erioed. Rwy wrth fy modd â ffasiwn a thaclu lan, ond yn y gegin, y *whites* sy'n cael eu gwisgo bob tro. I fi, mae glendid y dillad gwyn yn siarad drosto'i hun, a glendid yw'r peth pwysicaf mewn unrhyw gegin. Mae'n rheol wi'n stico ati bob tro. Pan fydden i'n cael gwahoddiad i fynd i lefydd i wneud arddangosfa fwyd, o'n i'n teimlo fel *ambassador* ar ran 'Heno', ac roedd cael fy ngweld fel cogydd proffesiynol yn bwysig.

Ymhen amser, penderfynodd S4C newid trefn y rhaglenni nosweithiol, a daeth cyfnod 'Heno' i ben. O'n i wedi cael sawl blwyddyn o sbort a gwaith caled, ac yn teimlo 'mod i'n rhan o un teulu mawr. Wrth i bethe orffen, gofynnodd Lynne i fi beth hoffen i ei wneud fel rhaglen olaf. Cymeres i sbel i feddwl, a dyma benderfynu

Pwdin siocled cyffug

I weini 6

Pwdin siocled yw hoff bwdin y rhan fwyaf ohonon ni. Mae hwn yn foethus tu hwnt, ac yn toddi ar y tu mewn. Dylai fod yn feddal yn y canol, felly gofalwch beidio â'i or-goginio. Mae hyd yn oed yn flasus yn oer!

Cynhwysion

150g / 5 owns o siocled o safon uchel, lleiafswm o 70% o goco
150g / 5 owns o fenyn
1 llwy de o rinflas fanila
150ml / ¼ peint o ddŵr claear
110g / 4 owns o siwgr caster
4 wy
25g/ 1 owns o flawd codi

Y Saws

225g / 8 owns o fafon ffres neu wedi eu rhewi
50g / 2 owns o siwgr
1 llwy fwrdd o Southern Comfort

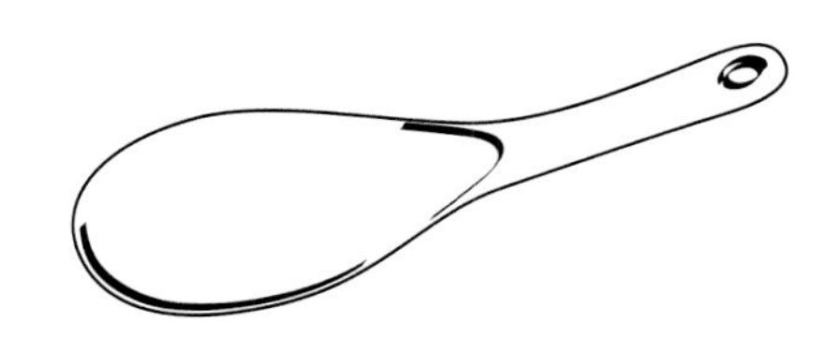

Dull

- Torrwch y siocled yn ddarnau a rhowch mewn basn gyda'r menyn.
- Rhowch y basn dros sosbenaid o ddŵr poeth a thoddwch yn araf.
- Tynnwch oddi ar y gwres ac ychwanegwch y fanila, y dŵr a'r siwgr caster.
- Trowch nes ei fod yn llyfn.
- Gwahanwch yr wyau a chwisgiwch y melynwy i mewn i'r gymysgedd siocled. Hidlwch y blawd a'i blygu i mewn.
- Mewn basn glan, chwisgiwch y gwynnwy nes iddo ffurfio pigau meddal.
- Plygwch yn ofalus i mewn i'r gymysgedd siocled.
- Rhannwch rhwng 6 dysgl *ramekin*, yna rhowch nhw mewn tun pobi ag
- ychydig o ddŵr ynddo a phobwch am tua chwarter awr ar 180C / 350F / Nwy 4.
- Dylai'r pwdinau fod yn gadarn i'w cyffwrdd, ond yn feddal y tu mewn.
- I wneud y saws: rhowch y mafon a'r siwgr mewn sosban a'u mudferwi am bum munud. Gweithiwch nhw drwy ridyll i dynnu'r hadau, gan adael saws llyfn. Cymysgwch y Southern Comfort i mewn.
- Trowch y pwdinau allan ac arllwys y saws drostyn nhw i weini.

licen i goginio pryd o fwyd i rai o fy ffrindie agosaf mewn lleoliad bendigedig – Llangoed Hall ger Llanelwedd. Chware teg iddyn nhw, gadawson nhw i fi ddefnyddio'r gegin am wythnos i baratoi. Ac fe es i amdani, gyda bwydydd hyfryd – samwn i ddechrau, wedyn brest ffowlyn wedi'i stwffio 'da chaws a'i goginio 'da llysie, a phwdin siocled cyffug a saws mafon i orffen. Roedd hi'n noson i'w chofio, a phawb yn canu rownd y piano erbyn y diwedd. Ffordd hyfryd i ddod â chyfnod i ben.

Ges i shwd gymaint o gyfleoedd yn ystod fy nghyfnod gyda 'Heno', wrth edrych 'nôl, wi'n falch iawn o bopeth y llwyddon ni i'w wneud ar y rhaglen. Drwy 'Heno', des i nabod llawer iawn o bobl ar draws y wlad, a daeth llawer o bobl i fy nabod i hefyd, ac roedd pawb wastad yn holi am fwyd. Wrth siopa, bydden i'n ffaelu prynu bwyd parod, fel mins peis neu *quiche*, achos bydde pobl yn dod lan ata i a dweud, 'Wel Ena, ffansi gweld chi'n prynu hwnna.' Felly, o'n i dim ond yn prynu llysie ffres, blawd, menyn a marjarîn i goginio. Gofynnwyd i fi hyrwyddo bwydydd hefyd, ac o'n i'n llysgennad ar ran Cig Oen ac Eidion Cymru, gan arddangos iddyn nhw'n rheolaidd yn y Sioe Frenhinol a llefydd eraill ledled Cymru. Ond sylweddolais i un dydd fod pobl y tu hwnt i Gymru hefyd wedi clywed amdana i, pan ges i lythyr o Lysgenhadaeth yr Unol Daleithiau yn Llundain, yn gofyn a fydden i'n fodlon darparu bwydlen iddyn nhw ar gyfer cinio dathlu Gŵyl Dewi. Wrth gwrs, fe anfones i'n ôl atyn nhw, a chlywes i wedyn i'r pryd fod yn llwyddiant ysgubol.

Mae cael jobyn lle chi'n cael gwneud rhywbeth chi'n ei garu yn anrhydedd, ond mae cael cydnabyddiaeth amdano ar ben hynny'n werth y byd. Ym mis Mai 2000, ces i fy ngwahodd gan y Clwb Rotari Rhyngwladol i ginio arbennig yng ngwesty'r Ivy Bush yng Nghaerfyrddin. Yma, cyflwynwyd gwobr *Service above Self* i fi, i gydnabod y gwaith o'n i wedi'i wneud gyda phobl ar brofiannaeth ac am godi miloedd o bunnoedd i wahanol elusennau.

Cawl cennin

I weini 4

Cynhwysion

3 cenhinen fawr
2 daten fawr wedi eu pilio a'u sleisio
1 winwnsyn wedi ei bilio a'i sleisio
50g / 2 owns o fenyn
570ml / 1 peint o stoc cyw iâr neu lysiau
½ llwy de o bupur cayenne
150ml / ¼ peint o hufen sengl
1 ewin o arlleg wedi ei falu
1 llwy fwrdd o bersli wedi ei dorri'n fân
pupur du i weini

Dull

- Golchwch a thocio'r cennin, gan ddefnyddio'r darnau gwyn yn unig ar gyfer y cawl ei hun. Torrwch y dail gwyrdd yn fân a rhowch i'r naill ochr mewn dŵr oer. Torrwch y darnau gwyn yn sleisiau tenau.
- Toddwch y menyn mewn sosban, ychwanegwch y cennin, y winwnsyn a'r garlleg a'u coginio am 2-3 munud.
- Ychwanegwch y tatws, y pupur cayenne a'r stoc, gorchuddiwch a'i goginio am 15-20 munud.
- Proseswch y cawl nes ei fod yn llyfn. Cyn gweini, trowch yr hufen, dail gwyrdd y cennin a'r persli i mewn i'r cawl. Sgeintiwch bupur du dros y cyfan.

Gwobr *Service above Self* gan y Rotari Rhyngwladol

Yn y Coleg Technegol yn Abertawe y dechreuodd fy hyfforddiant, flynydde'n ôl pan o'n i'n ifanc, ac erbyn hyn mae'r coleg hwnnw wedi'i uwchraddio'n Brifysgol Fetropolitan Abertawe. Yn 2007, cefais fy anrhydeddu fel un o gyn-fyfyrwyr y coleg, a fy ngwahodd i fod yn Gymrawd i gydnabod y gwaith o'n i wedi'i wneud ar y teledu a fy nghyfraniad at ddarlledu trwy gyfrwng y Gymraeg. Wel, bydde fy rhieni wedi bod mor falch, ac roedd hwn yn anrhydedd gwirioneddol werth ei gael. Yn anffodus, do'n i ddim yn gallu bod yn bresennol yn y seremoni yn y Guildhall, Abertawe, ond aeth Paul yno ar fy rhan i dderbyn sgrôl y radd a map hyfryd o arfordir Bro Gŵyr roedd myfyrwyr y coleg wedi'i greu. Roedd y Brifysgol yn siomedig nad o'n i'n gallu bod yno, a chware teg iddyn nhw, rhoddon nhw fenthyg y gŵn a'r cap i fi eu gwisgo i gael tynnu fy llun. Roedd y darlledwr Huw Edwards yn derbyn

Derbyn fy ngradd er anrhydedd

anrhydedd yr un pryd, ac mewn cyfweliad ar y teledu, siaradodd e'n garedig iawn am fy nghyfraniad at ddarlledu Cymraeg, gan nodi taw fi oedd y *chef* cyntaf i wneud arddangosiadau coginio ar faes yr Eisteddfod Genedlaethol yn hyrwyddo cynnyrch Cymreig.

Ac yn wir, un o'r anrhydeddau mwyaf i fi eu cael yn fy myw oedd cael fy nerbyn i'r Orsedd yn Eisteddfod Genedlaethol Tyddewi 2002. Fe gofia i'r seremoni ar bwys meini'r orsedd am byth, a chael fy nghroesawu i Urdd Derwyddon Gorsedd y Beirdd – y wisg werdd – yr anrhydedd fwyaf y gallwch ei gael yng Nghymru. O'n i mor browd pan gyhoeddodd yr Archdderwydd fy enw barddol: Y Gogyddes Ena.

Ond falle taw'r anrhydedd roddodd y sioc fwyaf i fi oedd pan o'n i'n darlledu ar 'Heno' un mis Mehefin, ac yn sydyn, daeth Arfon Haines Davies i mewn i'r stiwdio, a dweud 'Penblwydd Hapus, Ena!' Dyna syndod! Ces i fy nghludo draw i Theatr Felinfach, lle'r oedd cant a hanner o deulu a ffrindie wedi dod ynghyd i recordio rhifyn yn y gyfres 'Penblwydd Hapus' ar S4C. Dyna hyfryd oedd gweld pawb yn aros amdana i – rhai wynebau nag o'n i wedi'u gweld ers blynydde.

Ond er i 'Heno' ddod i ben, o'n i mor brysur ag erioed. Roedd cyfres boblogaidd o'r enw 'Y Briodas Fawr' ar S4C ar y pryd. Yn hon, byddai cwpl lwcus wedi ennill gwobr lle'r oedd sêr y sianel i fod yn rhan o'r paratoadau a'u diwrnod mawr. Ond roedd yn rhaid

Yr anrhydedd fwyaf –
Y Gogyddes Ena

i'r sêr ddysgu gwneud rhywbeth cwbl newydd, felly doedd dim dal siwd bydde pethe'n troi mas. Ces i alwad ffôn yn gofyn a fydden i'n fodlon dysgu Dai Jones Llanilar i wneud teisen briodas i bâr o Rydaman. O'dd dim rhaid i fi feddwl ddwywaith – dyna sbort – ond roedd un amod. Dywedais wrth Will Davies, y cynhyrchydd, na allen i fod yn gas 'da Dai, ond bydde'n rhaid i fi fod yn gadarn iawn 'dag e os oedd e'n mynd i lwyddo.

Felly lan â fi i Lanilar i gwrdd â Dai, a dyna lle'r oedd Olwen ei wraig yn chwerthin yn 'i dyblau: 'Dai yn gwneud cacen briodas?' medde hi. 'Dim gobeth – dyw e ddim hyd yn oed yn gallu berwi wy!' Ta beth, roedd rhaid bwrw iddi. Teisen ffrwythe wedi'i berwi roedd y cwpl am ei chael, felly dyma fi'n rhoi rysáit i Dai oedd wedi'i seilio ar rysáit teisen Gladys y Felin o Felindre. Roedd rhaid berwi ffrwythe a sudd oren gyda menyn a siwgr yn gyntaf, ac wrth i ni aros i'r gymysgedd oeri, roedd Olwen wedi gwneud pryd o fwyd bendigedig i ni. Ar ôl cinio, 'nôl â ni i'r gegin i gymysgu gweddill y cynhwysion i mewn, ac erbyn hyn roedd Dai druan yn chwysu'n stecs – roedd rhaid i fi sychu'r chwys oddi ar ei dalcen wrth iddo weithio'r llwy bren. Ond erbyn diwedd y dydd roedd y deisen wedi'i choginio, ac roedd hi'n hyfryd, chware teg i Dai, achos ffermwr yw e wedi'r cyfan.

Wrth gwrs, roedd rhaid gadael i'r deisen sefyll am rai wythnosau cyn dodi'r marsipan a'r eisin arni, ac erbyn hyn roedd Dai'n dechre dod iddi'n dda. Ond y diwrnod yr aethon nhw i'w ffilmio'n dodi'r eisin, dywedodd y cwmni cynhyrchu wrth Dai nad o'n i'n mynd i fod 'na. Beth nad o'dd e'n 'i wybod oedd 'mod i'n cuddio yn yr ystafell drws nesaf. Ta beth, aeth e ati i roi'r eisin a'r *fondant* ar y deisen, ac roedd e'n stryglan ychydig, pan ddes i mewn i'r gegin. Cafodd e dipyn o sioc o 'ngweld i, ond pan ofynnes i iddo siwd oedd hi'n mynd, atebodd fod popeth i'w weld yn iawn. 'Chi wir yn credu 'ny?' gofynnes i. 'Shgwlwch, ma' slôp 'da chi fan

Fi gydag Alison Hill
a Siân Thomas

hyn – os yw hon yn deisen briodas, mae'n rhaid iddi fod yn berffaith. 'So adeiladwr yn codi wal ar y wonc, odi fe – a 'so cacen briodas fod yn gam chwaith.' Ac yn y fan a'r lle, dynnes i'r eisin i gyd bant 'da chyllell. Druan, cafodd Dai dipyn o siom. Ond aeth e'n ôl ati, a chredech chi byth y byddech chi'n gweld Dai Llanilar yn gwneud dail a blodau o eisin. Ond chware teg iddo, roedd y gacen yn edrych yn hyfryd yn y pen draw. Rwy'n ei chyfri'n dipyn o gamp 'mod i wedi dysgu Dai i goginio. Anghofia i fyth 'i weld e'n canolbwyntio, a'i 'Damo, damo, jiw, jiw' wrth ymdrechu mor galed.

Er nad o'n i ar y teledu'n rheolaidd, ces i barhau i wneud tipyn o ddarlledu. Erbyn hyn roedd Siân Thomas yn cyflwyno rhaglen ar Radio Cymru bob prynhawn, a bydden i'n gyfrannwr rheolaidd gyda sgwrs a ryseitie. Bydden ni'n cael yr hwyl rhyfedda yn recordio'r eitemau hyn. Bydde Siân yn dod â'i thîm draw i Langynnwr, a bydden ni'n recordio yn fy nghegin, i gael y profiad coginio'n iawn. O'n i wrth fy modd yn eu gweld nhw, ac o beth wi'n ddeall 'da Siân, roedd pawb yn cystadlu â'i gilydd i gael dod. Mae'n siŵr taw'r rheswm am hynny oedd 'mod i'n paratoi te bach iddyn nhw. Falle y bydden i wedi berwi ham, neu wneud cwpwl o sgons, felly bydde brechdanau a chacen yn disgwyl pawb ar ôl y recordio.

Un flwyddyn, penderfynon ni gynnal cystadleuaeth teisen Nadolig i'r gwrandawyr. Yn yr wythnosau cyn y Nadolig ro'n ni wedi bod yn trafod bwydydd yr ŵyl – fel ar 'Heno' 'slawer dydd – a gwahoddon ni bobl i anfon sleisen o deisen Nadolig aton ni, i ni gael gweld pa un oedd orau. Dywedon ni wrth bawb am anfon y sleisen y diwrnod ar ôl *Boxing Day* a bydden i, Siân ac Alison Hill, yr ymgynghorydd bwyd, yn eu blasu nhw i gyd. Dechreuodd un neu ddwy gyrraedd yn syth ar ôl y Nadolig, ac o'n ni'n reit falch fod digon i gynnal cystadleuaeth, o leia. Ond dros yr wythnos wedyn a dechre mis Ionawr, daeth mwy a mwy, nes bod bocseidi ohonyn nhw'n dod lan o ystafell bost y BBC. Ac roedd pobl yn eu hanfon bob ffordd – rhai mewn bocsys teisen briodas, eraill wedi'u lapio mewn ffoil, neu mewn *jiffy bag*. Daeth un hyd yn oed mewn hen focs *surgical support*. Yn y pen draw, cyrhaeddodd dros ddau gant o ddarnau. Ac wrth gwrs, o'n ni'n gorffod cadw at ein gair, a blason ni bob un. Aethon ni â nhw lawr i gantîn y BBC yng Nghaerdydd, a'u gosod dros y byrddau, a mynd drwyddyn nhw un ar y tro. Gymerodd e oriau, ond dyna falch o'n ni ein bod wedi cael ymateb mor frwd. Roedd Siân a fi wedi dod yn ffrindiau agos iawn yn ystod cyfnod 'Heno' ac wedi aros yn agos ar ôl hynny, felly roedd cael gweithio â hi ar y radio yn bleser pur. Ac wrthi'n darlledu ar raglen Siân oeddwn i un diwrnod pan sylweddoles i fod rhywbeth ddim cweit yn iawn 'da fi.

❧

Heddiw a ddoe

Mae'n beth da nag y'n ni'n gwybod beth sydd o'n blaen ni mewn bywyd. Byw pob dydd a mwynhau pob eiliad – dyna'r ffordd orau i fod. Rwyf i bob amser wedi cydio mewn unrhyw gyfle sy wedi codi, ac wedi ceisio gwneud y gore o bob sefyllfa – 'sdim pwynt edrych 'nôl a meddwl beth alle fod wedi bod. Diolch am beth sydd gyda ni dylen ni i gyd ei wneud, ac mae'r syniad yna wedi dod yn fwy pwysig nag erioed i fi dros y blynydde diwethaf.

Do'n i byth yn un i fynd yn nerfus wrth ddarlledu. O'n i'n ddigon hapus i fod yn fi fy hunan– sgwrsio'n rhwydd a siarad fel y bydden i'n 'i wneud bob dydd. Felly roedd yn brofiad rhyfedd, tua chanol 2005, i fi gael tipyn bach o drafferth wrth siarad â Siân ar ei rhaglen radio. O'n i'n teimlo fy ngeiriau'n llusgo – a finne heb gael yr un joch o frandi na synhwyrad o alcohol. Feddylies i ddim lot am y peth i ddechre, ond des i ddeall bod Paul y mab hefyd wedi 'nghlywed i a meddwl 'mod i'n swnio ychydig yn rhyfedd. O'n i'n ffaelu deall hyn. Beth gythrel oedd yn bod arna i?

'. . . un peth rwyf i wedi llwyddo i'w wneud yw troi Geoff yn *chef* ardderchog . . . fydd dim *meals on wheels* yn dod i'r tŷ yma!'

P
H

Ac wedyn dechreues i gwympo'n sydyn, heb rybudd, felly rhwng y ddau beth, benderfynais fynd i gael sgwrs â'r doctor. Halodd hi fi wedyn i weld niwrolegydd. O'n i ddim wir yn meddwl bod unrhyw beth mawr o'i le, achos nag o'n i'n teimlo'n dost. Cofiwch, o'n i'n reit flinedig, ond dyw hynny ddim yn syndod o feddwl mor fishi o'n i.

Ta beth, es i weld yr arbenigwr, a threfnwyd i fi gael sgan ar fy ymennydd. Ar y dechre, ro'n nhw'n meddwl 'mod i wedi cael strôc, yn enwedig gan fod problem gyda'r siarad, ond ar ôl gwneud y profion, daeth diagnosis – clefyd *motor neurone*.

Wrth gwrs, roedd hon yn ergyd ofnadwy, a thorrodd Geoff ei galon. Roedd Paul, oedd wedi dod gyda ni i'r ysbyty, hefyd yn ypset iawn. Ond fe gymerais i'r newyddion yn dda. Dyna ni, o'n i wedi cael bywyd da, ac os taw chwe mis o'dd 'da fi, wel, roedd rhaid derbyn hynny. Es i adre a dechre gwacáu'r wardrobs – ymarferol hyd y diwedd!

Ond chwe mis yn ddiweddarach o'n i'n dal ar dir y byw. Do'n i ddim wir yn gwaethygu – o'n i'n gallu cerdded yn iawn – ond o'n i'n cael trafferth siarad, ac roedd fy llwnc i'n teimlo fel 'se afal yn sownd ynddo.

Felly 'nôl â ni i weld y niwrolegydd eto, a dywedodd nad clefyd *motor neurone* oedd arna i wedi'r cwbl, ond bod angen mwy o brofion. Wel, ces i brawf ar ôl prawf, tynnu gwaed, *lumbar puncture*, pob math o bethe, ond roedd popeth yn dod 'nôl yn negyddol. Ro'n nhw'n cynnal profion am bopeth allen nhw feddwl amdano, ac aeth hyn 'mlaen dros gyfnod o ddwy flynedd.

Un peth ddaeth mas o'r sgan oedd bod problem 'da fy *thyroid*, a bo' *goitre* yn tyfu lawr at fy sternwm. Bu'n rhaid i fi fynd i gael triniaeth yn Abertawe ar gyfer hwnna. Roedd hyn yn golygu yfed ïodin ymbelydrol i leihau'r *goitre*. Mae wedi gweithio, ac wi'n reit siŵr taw hwnna oedd wrth wraidd y broblem gyda'r siarad. Dyw'r doctoriaid ddim yn cytuno, ond wi'n teimlo 'mod i'n nabod fy nghorff fy hunan.

A dyna fel wi wedi bod ers hynny. Erbyn hyn mae gen i arthritis drwg yn fy nghoesau, sy'n golygu 'mod i ddim yn gallu cerdded, ac mae'r siarad yn dal yn llusgo – slyrran os licwch chi – ond y tu mewn, wi'n union yr un fath ag y bues i erioed. Rwy'n blino'n reit hawdd, ac mae'n straen siarad ar ôl sbel, ond peidiwch â meddwl 'mod i'n hen wraig fach dost yn y gornel.

Mae syniad 'da fi fod rhywbeth wedi mynd o'i le yn fy system nerfol, a taw jest ei osod e'n ôl yn iawn sydd ei angen. Mae fy noctor i'n cytuno â hynny, ac rwy'n eitha siŵr gydag amser y dewn ni o hyd i ffordd i gael pethe'n ôl fel o'n nhw. A dweud y gwir, rwy'n benderfynol y bydda i'n gwella o beth bynnag sydd arna i. Rwy'n bwyta'n iachus ac yn byw bywyd tawel. Bob nos rwy'n gweddïo, a phob bore rwy'n codi'n falch o weld y dydd.

Oddi ar 'mod i'n dost, un peth rwyf i wedi llwyddo i'w wneud yw troi Geoff yn *chef* ardderchog. Bydda i'n eistedd o flaen y ffenest yn yr ystafell fyw yn ystod y dydd, lle galla i weld y byd yn mynd heibio, ond yn bwysicach, galla i weld mewn i'r gegin. Felly, rwy'n gallu rhoi cyfarwyddiadau manwl i Geoff i wneud *casserole* neu bysgod neu ferwi ham. I feddwl nag o'dd e'n gwybod sut i ferwi wy hyd yn oed, mae'n gwneud yn rhagorol. Rwy'n reit siŵr o un peth – fydd dim *meals on wheels* yn dod i'r tŷ yma!

Chware teg i Geoff, mae'r bwyd yn flasus bob tro, ac rwy'n gwneud yn siŵr 'mod i'n mynd i'r gegin fel bod y ddau ohonon ni'n bwyta 'da'n gilydd. Wedyn, unwaith yr wythnos, bydda i'n coginio fy hunan. Mae'r gegin wedi'i threfnu fel y galla i gael gafael ar bopeth yn hawdd. Felly 'sdim angen cerdded o gwmpas na symud rhyw lawer, ac rwy'n gallu gwneud teisen neu blated o gacs – ac mae Geoff wrth law i estyn unrhyw beth nagw i'n gallu ei gyrraedd. Mae'r sgìl yn dal yna, a'r meddwl yn gweithio cant y cant.

Mae llun 'da fi ar y wal yn y tŷ, a gallaf ei weld e o 'nghadair ar bwys y ffenest. Gwaith Ogwyn Davies yw e, ac mae'n dangos eglwys â rhyw dawch dros ei chefn. Pan fydda i'n edrych ar y llun, rwy'n cael ryw ysbrydoliaeth a gobaith. Fel mae'r Beibl yn 'i ddweud, mae gwyrthiau'n digwydd, ac rwy'n lico meddwl falle rhyw ddiwrnod bydd y wyrth yn digwydd i fi. Dair gwaith rwy wedi breuddwydio fy mod i mewn eglwys, ac yn gweiddi 'Haleliwia' a chodi a cherdded. Mae'n gred fawr 'da fi na ddylech chi byth ildio, pa bynnag dostrwydd sydd arnoch chi. Os gallwch chi fyw mewn ffydd a gobaith, bydd hwnna'n help mawr i chi, a dyna sydd wedi fy helpu i, Geoff a'r teulu i gyd hefyd.

Y llun sy'n fy ysbrydoli i – Eglwys Llancarfan gan Ogwyn Davies

Diwrnod i'r teulu yn Nyffryn Tywi yn 2005

Geoff a fi ar fordaith i Norwy yn 2005

Ond wrth gwrs, mae'n beth caled dod yn gyfarwydd â byw 'dag e, a'r peth anoddaf oedd rhaid i fi 'i dderbyn oedd fod angen help arna i, achos o'n i wastad yn shwd un annibynnol. Drwy 'mywyd rwy wedi helpu pobl eraill, ond y flwyddyn hon, roedd rhaid i fi gael help i gael cawod. Halodd hi flwyddyn gyfan, siŵr o fod, i gyfadde 'mod i'n methu gwneud pethe drosto fi'n hunan. Ond rwy'n ddiolchgar iawn 'mod i'n cael yr help erbyn hyn – hyd yn oed i gyrraedd y tŷ bach.

Wrth gwrs, mae 'na adegau pan fydda i'n teimlo'n ddiflas. Rwy'n cofio teimlo'n ofnadwy pan fu farw Ray Gravell druan. O'n i'n ffaelu deall pam nad aeth Duw â fi yn ei le – ro'n i'n wan ac yn dost, a Ray'n mwynhau gwyliau 'da'i deulu ifanc. 'Na wastraff. Ond does dim i'w ennill drwy eistedd yn y gornel yn teimlo'n flin drosoch chi'ch hunan – hanner llawn yw'r gwydr, nid hanner gwag.

Fydda i ddim yn gadael y tŷ'n aml iawn erbyn hyn. Ond er bod y corff yn wan, mae'r ysbryd yn dal yn gryf, ac mae'r pethe sydd

Liz a Jane yn paratoi ar gyfer y parti

Y teulu ym mharti priodas aur Geoff a fi (Liz sy'n tynnu'r llun)

wedi fy nghynnal i ar hyd fy oes yr un mor bwysig ag erioed, sef fy ffydd a fy synnwyr digrifwch. Mae'n rhaid cael hiwmor, a bydd Geoff a fi'n aml yn chwerthin 'da'n gilydd am bob math o bethe.

Rwy wedi ca'l bywyd hyfryd, wedi neud llawer mwy nag o'n i'n meddwl y bydden i. Feddylies i byth, flynydde'n ôl, y bydden i ar y teledu, felly roedd hwnna'n fonws – rwy wedi bod yn lwcus iawn. Mae'r holl bobl rwy wedi cwrdd â nhw, yr holl brofiadau rwy wedi'u cael, o Felindre i Lundain, ac yn Llanelli a Chaerfyrddin, wedi cyfrannu at bwy ydw i heddiw, ac fel y dywedodd Dafydd Iwan – rwy yma o hyd!

❧

Geoff a fi – cariad oes

Argos

Cyfeillion Ena a'u hoff ryseitiau

Alwyn Humphreys

Mae yna rai pobol 'dach chi'n cymryd atyn nhw'n syth – yn 'clicio' efo nhw – a dyna yn sicr a ddigwyddodd i mi efo Ena ar 'Heno'. Mae rhaglen deledu fyw yn llwyfan digon annaturiol mewn gwirionedd – gorffod creu sefyllfa ffug o sgwrsio hamddenol pan fo pwysau a chyfyngder amser yn rhoi cryn brawf ar y nerfau. Ond o'r cychwyn cynta, roedd Ena mor gartrefol a naturiol â phe bai hi yn ei chegin ei hun. Roedd hi hefyd yn llawn sbort a miri, yn fodlon i mi dynnu ei choes a'i phryfocio ynglŷn â'i hoffter o roi brandi yn y bwyd. Pan fyddai Ena'n awgrymu rhoi joch o frandi i mewn efo'r cynhwysion, mi fyddai'r botel yn cael hergwd go galed ar ochr y bowlen ac mi ddaeth hynny'n rhyw fath o jôc wythnosol yn y rhaglen. Un tro, mi guddiais y botel yn ei bag llaw ar y llawr i roi'r argraff mai yno oedd cartref parhaol y botel. Yn ôl y son, pan fyddai Ena'n cerdded trwy strydoedd Caerfyrddin wedyn, mi fyddai pobol yn gweiddi: 'Ydi'r botel frandi yn yr *handbag*, Ena?'

Wrth gwrs, mi roedd Ena'n gogyddes benigamp, a'r bwyd bob amser yn bleser i'w flasu. Ond ar ben hynny, roedd ei brwdfrydedd a'i phersonoliaeth heintus yn peri i'r eitemau coginio fod yn adloniant hefyd. Doedd hi ddim yn actio o gwbl, dim ond bod yn hi ei hun, yn hollol naturiol, gan greu awydd mewn pobol yn syth i ddod i'w hadnabod ac i fwynhau ei danteithion. Dwi'n cofio un achlysur arbennig yn Theatr Felinfach pan oedd Ena'n cynnal noson er budd elusen, fel y gwnâi'n aml, a finna'n chwarae rhan y cynorthwyydd. Roedd y gynulleidfa niferus yng nghledr llaw Ena drwy'r nos, yn dal ar bob gair ac yn rhuthro ymlaen ar y diwedd i'w chyfarfod yn y cnawd ac i flasu'r bwyd – ia, heb os, seren go iawn.

Mae'n amhosib dewis un hoff rysáit o blith y cannoedd wnaeth Ena ar 'Heno', ond yn amlwg bydd raid cael un sy'n cynnwys brandi. Felly beth am yr un efo'r teitl egsotig 'Cyw Iâr Marengo'. Yn ôl y stori – amheus – dyma'r pryd bwyd a grëwyd yn fyrfyfyr i Napoleon wedi iddo ennill brwydr enwog Marengo yn 1800, ac ynta'n llwglyd iawn ar ôl gwrthod bwyta'n gynharach. Felly mae hwn yn bryd ardderchog ar gyfer achlysur dathlu, a pha achlysur gwell na dathlu bywyd a gwaith yr anfarwol Ena? O, a chyda llaw, faint bynnag o frandi mae Ena'n ei awgrymu yn y rysáit, dyblwch o!

Cyw iâr Marengo

Digon i 4

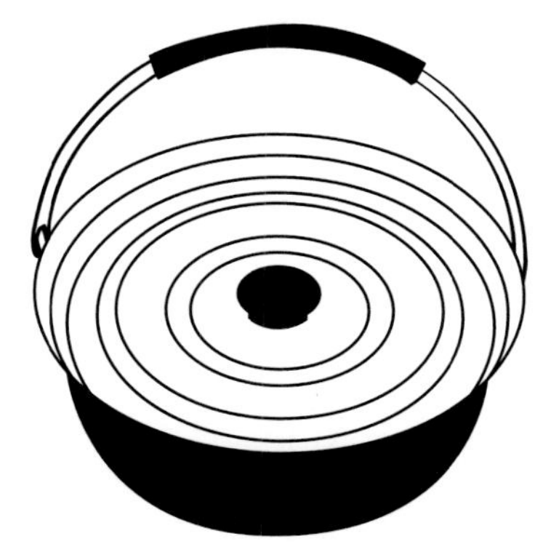

Cynhwysion

4 brest cyw iâr heb y croen
50g / 2 owns o flawd India corn
150ml/ ¼ peint o olew olewydd
1 winwnsyn wedi ei sleisio
4 llwy fwrdd o frandi
halen a phupur
450g / 1 pwys o domatos heb eu crwyn
neu 2 dun 225g / 7 owns o domatos
wedi eu torri'n fân
2 ewin o arlleg wedi eu malu
150ml / ¼ peint o stoc cyw iâr
125g / 4 owns o fadarch botwm
50g / 2 owns o fenyn

Dull

- Trowch y brestiau cyw iâr yn y blawd India corn.
- Cynheswch yr olew mewn padell ffrio fawr, a ffrio'r cyw iâr ar y naill ochr a'r llall am 5-10 munud. Tynnwch nhw o'r badell a'u rhoi i'r naill ochr.
- Taenwch y brandi a halen a phupur dros y brestiau cyw iâr. Ychwanegwch y winwns i'r badell ffrio a'u coginio am tua 3 munud.
- Ychwanegwch y tomatos, y garlleg a'r stoc.
- Rhowch y brestiau cyw iâr yn y saws a mudferwi'r cyfan am hanner awr dan glawr.
- Os ydych chi am ddefnyddio'r ffwrn, rhowch y cyfan mewn dysgl caserol yn y ffwrn ar 180C / 350F / Nwy 4 am dri chwarter awr.
- Coginiwch y madarch yn y menyn am 3-4 munud, ac ychwanegwch nhw at y cyw iâr cyn gweini.
- Gweinwch â'ch hoff lysiau tymhorol.

Roy Noble

Pan ddechreues i weithio ar 'Heno', nag o'n i wedi gweithio yn Gymraeg erioed o'r blaen. Roedd fy ngyrfa i fel athro ac wedyn fel darlledwr radio i gyd wedi bod yn Saesneg, felly roedd hyn yn beth newydd iawn i fi. Nid fy math i o Gymro oedd fel arfer i'w weld ar y teledu. Ches i ddim fy magu yn y traddodiad Cymraeg arferol; ro'n i'n teimlo'n fwy naturiol yn y clwb nag yn y capel ar y pryd.

Felly ro'n i'n becso rhywfaint wrth ddechre ar yrfa newydd, ond roedd cwrdd ag Ena fel awyr iach, yn rhoi nerth i fi. Dyma fenyw oedd yn gallu gwneud i rywun digon ansicr fel fi deimlo'n gwbl hapus. Ro'n i'n teimlo bod lot 'da ni'n gyffredin ac roedd cyswllt rhyngon ni ar unwaith: y ddau ohonon ni'n siarad yn debyg ac yn meddwl yr un fath am lawer o bethe. Cyn hir o'n i'n edrych ymlaen at nos Wener bob wythnos, pan fydde Ena i mewn ar 'Heno' gyda'i hwyl a'i ryseitie

Pwdin ffrwythau gyda chaws *mascarpone*

Digon i 4

Cynhwysion

16 o fisgedi *Amaretti*
8 llond llwy fwrdd o frandi
250g / 8 owns o fefus wedi eu sleisio
2 ffrwyth kiwi wedi eu sleisio
250g / 8 owns o gaws *mascarpone*
200g / 7 owns o iogwrt Groegaidd
8 llwy fwrdd o fêl
½ llwy de o sinamon
croen 1 lemwn

Y Saws

225g / 8 owns o fafon ffres neu wedi eu rhewi
50g / 2 owns o siwgr
1 llwy fwrdd o Southern Comfort

Dull

- Dodwch ddwy fisgïen yng ngwaelod pedair dysgl *sundae* a rhoi llond llwy fwrdd o frandi dros bob dysglaid.
- Ychwanegwch y ffrwythau, yna rhowch lond llwy fwrdd o frandi dros y ffrwythau.
- Cymysgwch y caws *mascarpone*, y mêl, yr iogwrt a chroen y lemwn gyda'i gilydd, yna gwasgaru'r gymysgedd hon dros y ffrwythau ym mhob dysgl.
- I orffen, sgeintiwch ychydig o sinamon dros bob dysglaid, a'u haddurno gyda dwy fisgïen *Amaretti* arall.

blasus. Wi wrth fy modd yn tynnu coes, a gydag Ena a'i phersonoliaeth ddisglair, roedd wastad digon o chwerthin. Mae hi'n gymeriad arbennig iawn – beth wi'n ei galw'n fenyw 'chwe silindr'.

Buon ni'n gwneud llawer o waith y tu fas i'r rhaglen hefyd, yn cynnal nosweithie i godi arian a rhoi cyhoeddusrwydd i 'Heno'. Falle taw'r un sy'n aros yn y cof yw'r noson a drefnwyd i godi arian i'r Eisteddfod Genedlaethol. Roedd carchar y Parc ar fin agor ym Mhen-y-bont ar Ogwr, a chafwyd y syniad i gynnal cinio mawr i bwysigion yr Eisteddfod cyn i'r carcharorion gyrraedd.

Wel, dyna beth oedd noson! Fi oedd y gŵr gwadd, ac Ena oedd yn gyfrifol am y bwyd, wrth gwrs. Rwy wedi bod mewn sawl noson wyllt yn fy amser, ond roedd hon gyda'r gore. Wnaf i ddim enwi neb, ond roedd pobl barchus iawn yn mwynhau eu hunain mas draw. Roedd y gwin yn llifo, ac aeth un dyn adre â staen gwin coch ar hyd cefn ei *tuxedo* gwyn. Ac roedd pawb yn canmol y bwyd – sa i'n gwybod sut llwyddodd Ena i wneud y fath wledd mewn carchar o bob man. Mae'n cymryd tipyn o dalent i blesio *ladies* parchus Pen-y-bont, ond fe wnaeth y bwyd yma'r tric. Roedd Ena'n rhedeg y gegin fel watsh, ac roedd tipyn mwy o drefn y tu ôl i'r dryse yna nag oedd ymysg y gwesteion!

Bob tro wi'n galw 'da Ena, mae croeso hyfryd i'w gael 'da hi a Geoff ei gŵr, ac wi'n cyfri'r ddau ohonyn nhw'n ffrindie da. Gynted dwi mewn drwy'r drws, ma' teisen yn dod mas, a bydd amser yn diflannu wrth i ni sgwrsio a chwerthin.

Ta beth ma' Ena'n ei goginio, ma' blas da arno fe. Mae hi'n amlwg yn gwc naturiol, ac yn gallu synhwyro beth sy'n gweithio 'da bwyd – o'n i wrth fy modd yn ei gweld hi'n bwrw iddi yn y stiwdio. Falle taw'r 'secret ingredient' yw'r allwedd, ac wedi meddwl, falle bod hwnna hefyd wedi helpu'r hwyl yng ngharchar y Parc y noson honno. Beth bynnag ma' Ena'n ei goginio, nag yw e'n gyflawn heb swig go dda o frandi ynddo – dyna'r *trademark*. Felly, fel hoff rysáit, beth well na'i phwdin ffrwythe blasus gyda chaws *mascarpone* – a brandi, wrth gwrs.

Siân Thomas

Os byddai'n rhaid i fi ddewis un gair i grynhoi'r profiad o weithio gydag Ena, rwy'n credu taw 'joio' fydde'r gair hwnnw. Yn nyddiau 'Heno', roedd dydd Gwener bob amser yn ddiwrnod hwyliog. Nid yn unig roedd hi'n ddiwedd yr wythnos a phawb yn edrych 'mlaen at ddeuddydd o orffwys, ond dyma'r diwrnod y bydde Ena yn y stiwdio. Byddai'r criw i gyd â'u ffyrc yn barod i fwyta beth bynnag oedd ar gael ar ddiwedd y sioe. Byddai Ena bob amser yn paratoi digon o fwyd i fyddin – mwy o lawer nag oedd ei angen i'r rhaglen. Roedd hi fel petai'n teimlo bod dyletswydd arni i ofalu am bawb – ein mam ni oll.

Rai blynyddoedd yn ddiweddarach, roedd Ena'n cyfrannu eitemau coginio'n rheolaidd i fy rhaglen radio ddyddiol ar Radio

Cymru. Byddwn i'n mynd draw â chynhyrchydd i'w chartref ger Caerfyrddin i recordio dwy neu dair eitem ar y tro yn ei chegin. Bob tro bydden ni'n mynd draw, byddai gwledd yno yn ein disgwyl. Byddai Ena wedi paratoi plated o frechdane – digon i chwech neu saith ohonon ni er taw dim ond dau fydde'n dod – gyda ham byddai hi newydd ei ferwi, a sgons a jam cartref.

Ond er ei bod hi mor hael a chroesawgar, roedd elfen fach ddireidus yn Ena hefyd, a galle hi dynnu coes gyda'r gore. Un tro, roedd y cynhyrchydd ddaeth draw i Langynnwr gyda fi'n llysieuydd; doedd e ddim wedi bwyta cig ers blynyddoedd. Doedd e ddim am dramgwyddo Ena, felly roedd e braidd yn bryderus ynglŷn â'r brechdanau ham oedd yn siŵr o gael eu cynnig. Cynigiais i gael gair tawel ag Ena ar ei ran. A phan gyrhaeddon ni, *true to form*, roedd plated o frechdane'n aros amdanon ni, a bu'n rhaid i fi ymddiheuro ar ran y cynhyrchydd bach. Trodd Ena ato, a dim ond un peth ddywedodd hi: '*Vegetarian? Vegetarian!*' Sa i erioed wedi clywed neb yn poeri'r gair mor effeithiol, gan wneud iddo deimlo'n waeth fyth. Yna aeth hi i'r gegin, a pharatoi brechdan gaws iddo, a'r cwlffyn mwyaf o gaws cryf welsoch chi erioed yn ei chanol. Wrth gwrs, bu'n rhaid i'r truan fwyta'r cwbl lot. Sa i'n siŵr a welodd e yn ei llygaid ei bod hi'n mwynhau pob eiliad.

Does dim amheuaeth mai atgofion o chwerthin a charedigrwydd sy'n dod i'r cof fynychaf wrth feddwl am weithio gydag Ena, ond fe ddaeth yn fwy na chydweithiwr. Roeddwn i bryd hynny, ac rwyf i'n dal hyd heddiw, yn ei chyfrif yn ffrind da. Dwi'n dal i gael y croeso mwya tywysogaidd bob tro yr af draw ati hi a Geoff, ac yn ddi-ffael bydda i'n dod oddi yno gyda thorth o deisen i fynd adre. Am flynyddoedd hefyd ces i deisen neu bwdin Nadolig ganddi bob blwyddyn, a nifer fawr o dorthe o fara brith i Mam. Mae wastod mor falch o 'ngweld i, ac y'n ni'n siarad ar y ffôn yn gyson. Dwi'n trysori eu cyfeillgarwch nhw eu dau.

Mae hi'n *one-off* – does neb yn debyg i Ena. Trysor cenedlaethol yn wir.

Cyw iâr mewn seidr

I weini 6

Cynhwysion

4 brest cyw iâr
250g / 8 owns o winwns botwm
2 lwy fwrdd o olew olewydd
50g / 2 owns o fenyn
250g / 8 owns o gig moch wedi ei fygu, wedi ei dorri'n fras
1 llwy de o fwstard
2 ewin o arlleg wedi eu malu
2 chilli coch wedi eu torri'n fân a'r hadau wedi eu taflu
250g / 8 owns o fadarch botwm
150ml / ¼ peint o seidr sych
150ml / ¼ peint o stoc cyw iâr
150ml / 5 owns hylif o *crème fraîche* neu hufen dwbl
winwns coch, afalau a phupurau coch i weini
persli i addurno yn ôl eich dant

Dull

- Twymwch yr olew a'r menyn mewn padell ffrio a ffrio'r cyw iâr nes ei fod yn frown ar y ddwy ochr. Tynnwch o'r badell a'i gadw ar blât.
- I'r badell, ychwanegwch y cig moch, y mwstard, y garlleg, y chillis a'r winwns, a'u ffrio nes bod y cig moch wedi troi'n grimp.
- Ychwanegwch y madarch, yna arllwys y stoc a'r seidr ar ei ben a dod ag e i'r berw.
- Rhowch y cyw iâr yn ôl yn y badell ffrio gyda gweddill y cynhwysion, a choginio am 20 munud arall nes bod y cyw iâr wedi ei goginio.
- Ychwanegwch halen a phupur i flasu. Yna ychwanegwch y *crème fraîche* neu'r hufen.
- Gweinwch gyda winwns coch a phupur coch wedi eu ffrio.

Diolchiadau

Hoffwn ddiolch yn fawr i fy nghyfeillion am eu cyfraniad: Alwyn Humphreys, Roy Noble, Siân Thomas a Lynne Thomas-Morgan.

Diolch o waelod calon i fy ngŵr annwyl, Geoff, am ei holl gymorth a'i gefnogaeth. Hebddo fe, ni fyddai wedi bod yn bosibl gwneud y llyfr hwn.

I Rebecca Ingleby Davies am ei gwaith dylunio, Chris Iliff am ei ddarluniadau, Luned Whelan am ei gwaith golygu a threfnu, ac Elinor Wyn Reynolds yng Ngwasg Gomer am ei brwdfrydedd am y prosiect.

A diolch yn arbennig iawn i Catrin Beard am ei dawn wrth gasglu straeon niferus ac amrywiol fy mywyd a'u hadrodd yn fy llais fy hunan drwyddi draw.